頻出度順
漢字検定

合格! 問題集

新星出版社

本書の特長と見方

「漢検」最新の試験問題を再現掲載！

令和2年度第1回(6月)から日本漢字能力検定の配当漢字の一部に変更があり、出題対象が増減しました。本書はこの新審査基準と毎年の出題傾向に対応した上で過去に出題された問題を分析し、実際に出題される問題を高い精度で再現しています。

常に最新の問題傾向が反映されるよう、毎年改訂を行っています。

出題テーマごとの頻出度順

検定試験で出題される出題テーマごとに、A・B・Cランクの頻出度順で掲載しています。

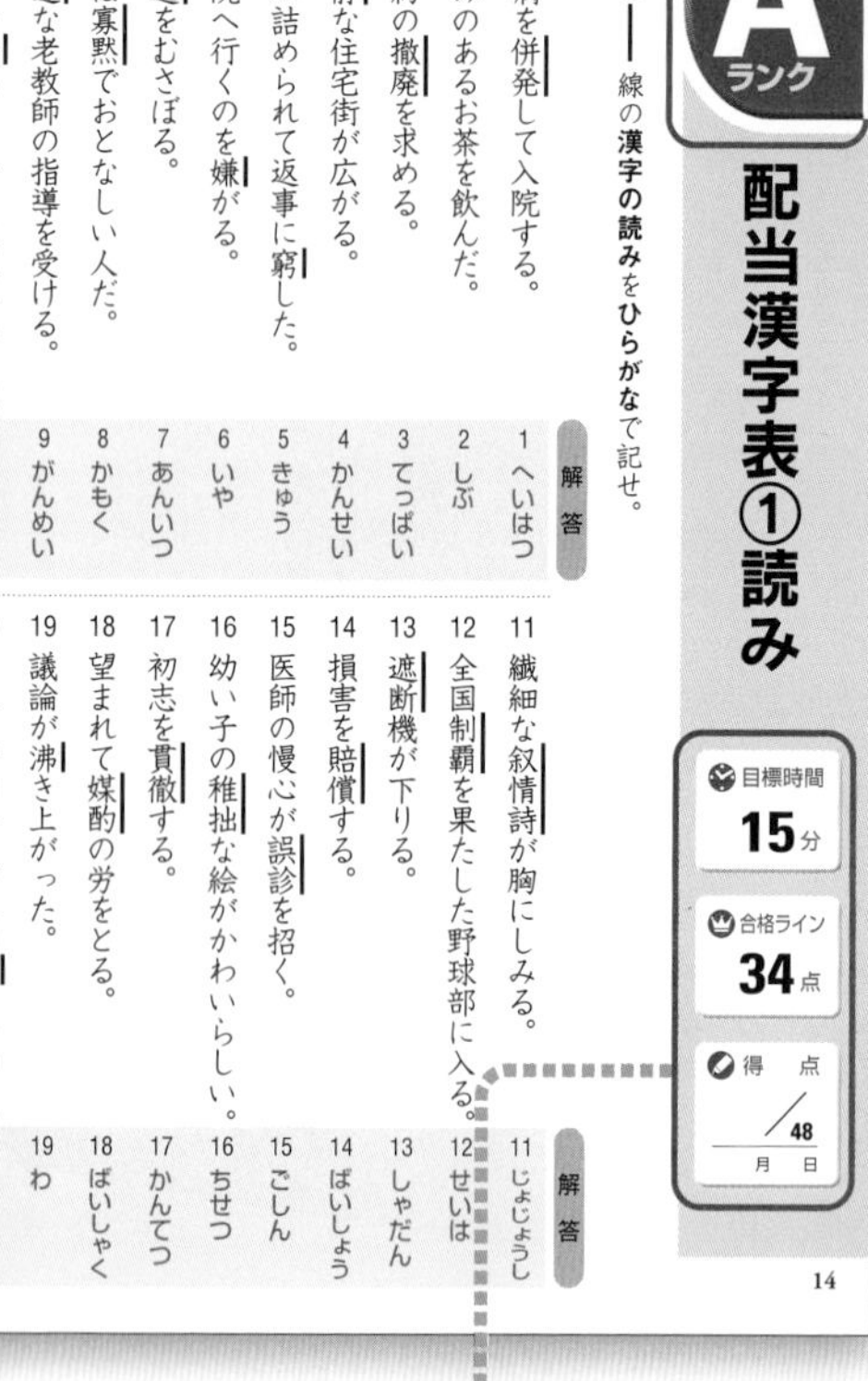
Aランク

配当漢字表①読み

目標時間 15分

合格ライン 34点

得点 /48

月 日

●次の――線の漢字の読みをひらがなで記せ。

1 余病を併発して入院する。
2 渋みのあるお茶を飲んだ。
3 条約の撤廃を求める。
4 閑静な住宅街が広がる。
5 問い詰められて返事に窮した。
6 病院へ行くのを嫌がる。
7 安逸をむさぼる。
8 彼は寡黙でおとなしい人だ。
9 頑迷な老教師の指導を受ける。
10 自分を偽ることなく正直に生きる。

解答
1 へいはつ
2 しぶ
3 てっぱい
4 かんせい
5 きゅう
6 いや
7 あんいつ
8 かもく
9 がんめい
10 いつわ

11 繊細な叙情詩が胸にしみる。
12 全国制覇を果たした野球部に入る。
13 遮断機が下りる。
14 損害を賠償する。
15 医師の慢心が誤診を招く。
16 幼い子の稚拙な絵がかわいらしい。
17 初志を貫徹する。
18 望まれて媒酌の労をとる。
19 議論が沸き上がった。
20 これまでの努力が水の泡となった。

解答
11 じょじょうし
12 せいは
13 しゃだん
14 ばいしょう
15 ごしん
16 ちせつ
17 かんてつ
18 ばいしゃく
19 わ
20 あわ

14

目標時間と得点

実際の試験時間と合格基準から換算した目標時間と合格ラインです。時間配分も意識して問題に取り組みましょう。

Aランク …過去の試験で最も出題頻度が高い問題

Bランク …よく出題されている問題

Cランク …出題頻度は高くはないが、実力に差をつける問題

解答が消える赤シート付き

「問題を解く」「解答を確認する」がスピーディーに行えます。
解けない問題がなくなるまで、繰り返しましょう！

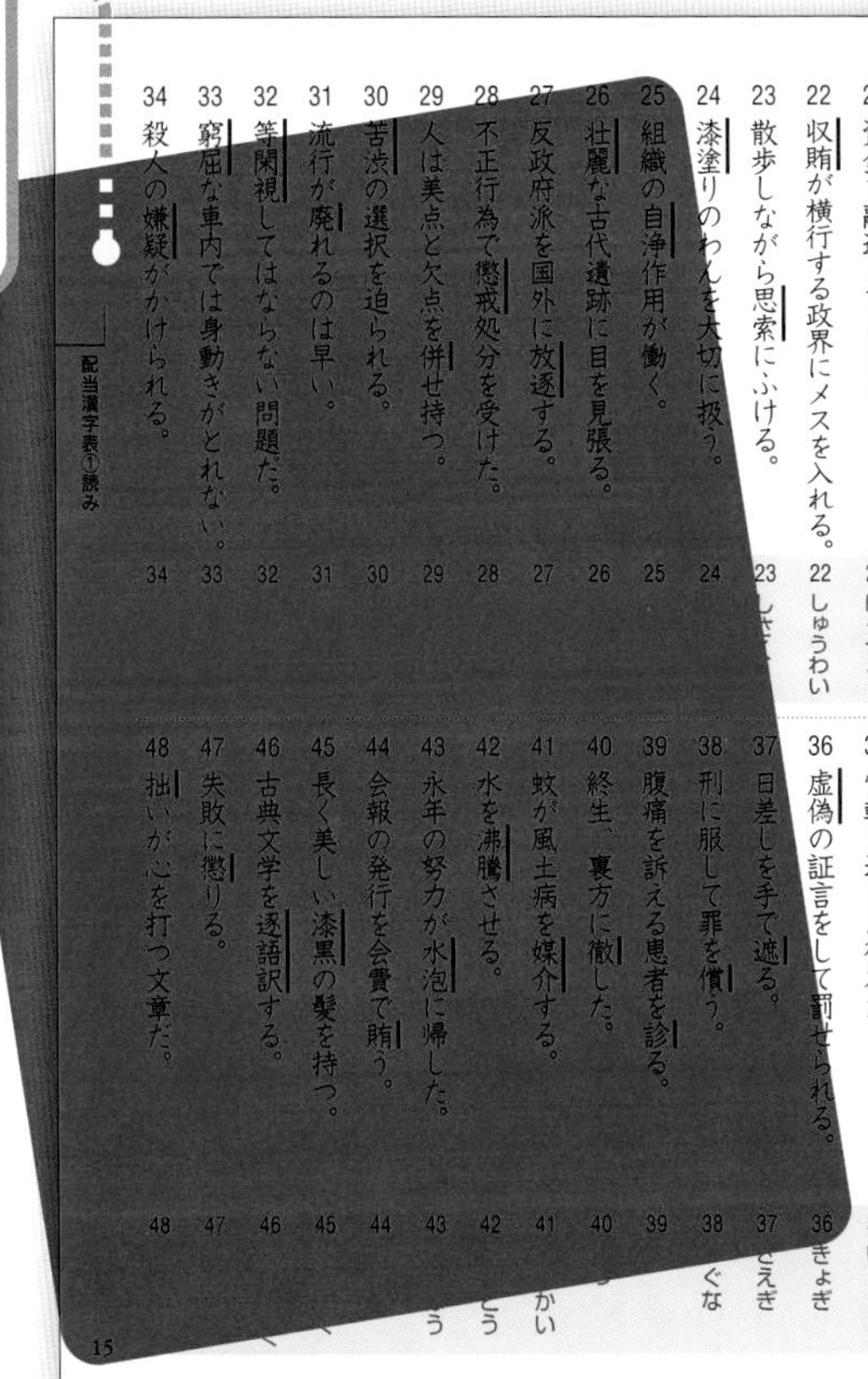

付録も充実!

出題範囲の漢字や部首の一覧、中学校・高校で習う読み、本試験の答案用紙例など、役に立つ資料を巻末に掲載しました。

別冊には模擬試験5回分収録!

試験前の総仕上げ、弱点の発見に活用できる模擬試験問題５回分を収録しました。

まずは模擬試験を１回分解いてみて、自分の不得意な分野を知りましょう。

目次

本書の特長と見方……2
受検ガイドと採点基準……6
出題内容と得点のポイント……8

第1章 配当漢字表と「読み」の問題……11

Aランク 配当漢字表①……12
配当漢字表①読み……14
Aランク 配当漢字表②……16
配当漢字表②読み……18
Aランク 配当漢字表③……20
配当漢字表③読み……22
Aランク 配当漢字表④……24
配当漢字表④読み……26
Aランク 配当漢字表⑤……28
配当漢字表⑤読み……30
Bランク 配当漢字表①……32
配当漢字表①読み……34
Bランク 配当漢字表②……36
配当漢字表②読み……38
Bランク 配当漢字表③……40
配当漢字表③読み……42
Bランク 配当漢字表④……44
配当漢字表④読み……46
Cランク 配当漢字表①……48
配当漢字表①読み……50
Cランク 配当漢字表②……52
配当漢字表②読み……54
Cランク 配当漢字表③……56
配当漢字表③読み……58
配当漢字以外の読み……60

第2章 テーマ別本試験型問題……63

部首……64
熟語の構成……70
四字熟語……80
対義語・類義語……102
同音・同訓異字……112
誤字訂正……124
送りがな……130
書き取り……134

付録

配当漢字表（50音順）……160
熟字訓・当て字……164
特別な読みの用例……166
中学校で習う読み……170
高校で習う読み……172
その他の部首……174
部首一覧……175
3級以下の配当漢字表……179

別冊の解答と答案用紙のサンプル

別冊　模擬試験問題の解答……193
本試験の答案用紙のサンプル……198

別冊

第1回模擬試験問題……2
第2回模擬試験問題……8
第3回模擬試験問題……14
第4回模擬試験問題……20
第5回模擬試験問題……26

※本書は2024年2月現在の情報をもとに作成しています。

●STAFF
デザイン・DTP／株式会社グラフト

受検ガイドと採点基準

検定日と検定時間

日本漢字能力検定が公開会場で実施されるのは、**年3回**です。1〜7級の検定時間は60分です。開始時間の異なる級を選べば同時に複数級受検できます。

第1回　2024年6月16日
第2回　2024年10月20日
第3回　2025年2月16日

※変更の可能性があります

検定会場

個人：すべて公開会場での受検。受検地は、願書に載っている中から選ぶことができます。

団体（2級以下）：準会場で受検することもできます。準会場は、担当者の監督のもとに検定を行う会場です。公開会場とは異なる日にも検定を行えます。検定日ごとに問題は変わります。

漢検ＣＢＴ：漢検ＣＢＴ会場でコンピューターを使って漢検（2〜7級）を受検できます。公開会場での年3回の検定日に限定されずに、都合のよい日程を選んで受検することができます。詳細についてはインターネット上で確認してください。

申し込み方法と検定料

準2級の検定料は公開会場が3500円、準会場は2500円。原則、検定日の約2か月前から約1か月前までに、インターネットより申し込んでください。

日本漢字能力検定協会のホームページ（https://www.kanken.or.jp/kanken/）にアクセスし、必要事項を入力することで申し込みができます。クレジットカードによる支払い、コンビニ決済が可能です。申し込み方法などは変更になることがありますので、最新情報は日本漢字能力検定協会のホームページでご確認ください。

漢字検定の採点基準（２級以下）

字の書き方	正しい筆画で大きく明確に書きましょう。行書体や草書体のようにくずした字や、乱雑な書き方は採点の対象外です。
字種・字体・読み	解答は内閣告示「常用漢字表」（平成22年）によります。ただし、旧字体での解答は正答と認められません。
仮名遣い	内閣告示「現代仮名遣い」によります。
送りがな	内閣告示「送り仮名の付け方」によります。
部　首	『漢検要覧 2～10級対応 改訂版』（公益財団法人日本漢字能力検定協会発行）収録の「部首一覧表と部首別の常用漢字」によります。
筆　順	原則は、文部省編『筆順指導の手びき』（昭和33年）によります。常用漢字一字一字の筆順は『漢検要覧 2～10級対応 改訂版』によります。

新審査基準による各級のレベルと出題内容

級	レベル（対象漢字数）	程度	主な出題内容									合格基準
2	高校卒業・大学・一般程度（2136字）	すべての常用漢字を理解し、文章の中で適切に使える。	漢字の読み	漢字の書き取り	部首・部首名	送りがな	対義語・類義語	同音・同訓異字	誤字訂正	四字熟語	熟語の構成	200点満点中80%程度
準2	高校在学程度（1951字）	常用漢字のうち1951字を理解し、文章の中で適切に使える。	漢字の読み	漢字の書き取り	部首・部首名	送りがな	対義語・類義語	同音・同訓異字	誤字訂正	四字熟語	熟語の構成	200点満点中70%程度
3	中学校卒業程度（1623字）	常用漢字のうち約1600字を理解し、文章の中で適切に使える。	漢字の読み	漢字の書き取り	部首・部首名	送りがな	対義語・類義語	同音・同訓異字	誤字訂正	四字熟語	熟語の構成	

＊常用漢字とは、平成22年11月30日付内閣告示による「常用漢字表」に示された2136字をいう。

検定に関する問い合わせ先

公益財団法人　日本漢字能力検定協会
〒605-0074 京都市東山区祇園町南側551番地
TEL：075-757-8600　　FAX：075-532-1110
URL：https://www.kanken.or.jp/kanken/
◆**お問い合わせ窓口**
TEL：0120-509-315（無料）

出題内容と得点のポイント

準2級で出題される漢字

平成29年告示の小学校学習指導要領における、小学校の学年別配当漢字の変更に伴い、令和2年度第1回（6月）から日本漢字能力検定の配当漢字の一部も級を変更しました。

そのため、準2級の出題対象は、1951字となり、準2級で新たに習う配当漢字は328字となりました。また、平成24年度からの新審査基準より、「高校で習う読み」も準2級の出題範囲となっています。

書き取りに関する問題では、以前は4級以下の漢字が中心に出題されていましたが、徐々に準2・3級の漢字も多く出題されるようになり、**難易度が上がりました**。近年、さらにその範囲が広がっています。

本書では実際に出題された問題を調査し、最新の出題傾向を再現しています。

1 読み　30問×1点

出題内容　短文中の傍線部の漢字の読みをひらがなで書く問題です。準2級配当漢字が中心です。熟字訓・当て字（164ページ）や、中学校で習う読み（170ページ）も出題されます。

ポイント　30問のうち、20問が音読み、10問が訓読み（熟字訓・当て字含む）で、「書き取り」に次いで配点の高いところです。「ず」と「づ」、「じ」と「ぢ」など仮名遣いに注意しましょう。

2 部首　10問×1点

出題内容　与えられた漢字の部首を書く問題で、準2級の漢字を中心に出題されます。

ポイント　部首の定義は漢和辞典により異なる場合

があります。本試験は『漢検要覧 2～10級対応 改訂版』（公益財団法人日本漢字能力検定協会発行）収録の「部首一覧表と部首別の常用漢字」によります。

3 熟語の構成 10問×2点

出題内容 熟語の構成のしかたの5つのパターンを示し、問題の熟語がどのパターンに当たるかを答える問題です。準2級配当漢字を含む熟語が中心です。示される熟語の構成のパターンは、次の5つです。

ア 同じような意味の漢字を重ねたもの（例：岩石、威嚇など）

イ 反対または対応の意味を表す字を重ねたもの（例：高低、抑揚など）

ウ 上の字が下の字を修飾しているもの（例：洋画、独吟など）

エ 下の字が上の字の目的語・補語になっているもの（例：着席、遮光など）

オ 上の字が下の字の意味を打ち消しているもの（例：非常、不遇など）

ポイント ウの場合は、短文に直してみましょう（例えば、「独吟」なら「独りで→吟じる」）。エの場合は、下の字に「に」または「を」をつけて上の字にかけてみましょう（例えば、「着席」なら「着く←席に」）。オの場合は、上の字には下の字を打ち消す漢字として「不」「無」「未」「非」などがきます。

4 四字熟語 10問×2点＋5問×2点

出題内容 問1は空欄（□部分）に入れる漢字一字をひらがなで示された選択欄から選び、漢字に直す問題です。4級以下の漢字を中心に準2・3級の漢字も出題されます。問2は四字熟語の意味を問う問題です。

ポイント 四字熟語は苦手とする受検者が多いところですが、その意味も一緒に理解すると効果的な学習ができます。

5 対義語・類義語 10問×2点

出題内容 対義語5問、類義語5問が出題され、対応する熟語をひらがなで示された選択欄から選んで漢字に直します。4級以下の漢字を中心に準2・3級の漢字も出題されます。

ポイント 選択欄にある熟語は1回しか使えません。

選んだ熟語には印をつけておきましょう。

6 同音・同訓異字　10問×2点

出題内容　2つの短文が一組として出題され、各短文中にカタカナで示された共通する音訓を、それぞれ漢字に直す問題です。4級以下の漢字を中心に準2・3級の漢字も出題されます。

ポイント　5組の出題のうち、4組が音読み、1組が訓読みです。

7 誤字訂正　5問×2点

出題内容　短文から誤って使われている漢字一字を選び出し、正しい漢字に直す問題です。4級以下の漢字を中心に準2・3級の漢字も出題されます。

ポイント　誤字には音読みの漢字も訓読みの漢字もあります。問題の短文を注意深く読み取りましょう。

8 送りがな　5問×2点

出題内容　短文中のカタカナの部分を漢字一字と送りがなに直す問題で、4級以下の漢字を中心に準2・3級の漢字も出題されます。

ポイント　送りがなのつけ方には原則があり、内閣告示「送り仮名の付け方」によります。受検者の平均点が低いテーマです。一つひとつ丁寧に覚えていきましょう。

9 書き取り　25問×2点

出題内容　短文中のカタカナの部分を漢字に直す問題で、準2・3・4級の漢字を中心に出題されます。

ポイント　25問のうち、15問が音読み、10問が訓読み（熟字訓・当て字含む）で、準2級の中で最も配点の高いところです。

答えは楷書（かいしょ）ではっきり書きましょう。

例　楷書体　行書体　草書体

風　風　風

はねるところ、とめるところにも注意しましょう。

例　はねる　とめる　つきだす　つける

純　車　事　全

第1章

配当漢字表と「読み」の問題

配当漢字表①

漢字	読み	部首	部首名	用例
併	音 ヘイ 訓 あわ(せる)	亻	にんべん	合併(がっぺい)・併発(へいはつ)・併合(へいごう)・併読(へいどく) 両案併(りょうあんあわ)せて了承(りょうしょう)する
渋	音 ジュウ 訓 しぶ しぶ(い) しぶ(る)	氵	さんずい	渋滞(じゅうたい)・難渋(なんじゅう)・苦渋(くじゅう) 渋渋(しぶしぶ)答(こた)える・渋(しぶ)み・茶渋(ちゃしぶ)
廃	音 ハイ 訓 すた(れる) すた(る)	广	まだれ	興廃(こうはい)・廃刊(はいかん)・廃絶(はいぜつ)・撤廃(てっぱい) 商店街(しょうてんがい)が廃(すた)れる
閑	音 カン 訓 ―	門	もんがまえ	閑職(かんしょく)・閑却(かんきゃく)・閑静(かんせい)・等閑視(とうかんし)
窮	音 キュウ 訓 きわ(める)高 きわ(まる)高	穴	あなかんむり	窮迫(きゅうはく)・窮屈(きゅうくつ)・困窮(こんきゅう)・無窮(むきゅう) 進退窮(しんたいきわ)まる
嫌	音 ケン ゲン 訓 きら(う) いや	女	おんなへん	嫌疑(けんぎ)・機嫌(きげん) 毛嫌(けぎら)い・嫌気(いやけ)がさす

漢字	読み	部首	部首名	用例
逸	音 イツ 訓 ―	辶	しんにょう しんにゅう	安逸(あんいつ)・逸品(いっぴん)・秀逸(しゅういつ)・逸脱(いつだつ)・ 散逸(さんいつ)
寡	音 カ 訓 ―	宀	うかんむり	寡占(かせん)・寡黙(かもく)・寡婦(かふ)・寡聞(かぶん)・ 寡少(かしょう)
頑	音 ガン 訓 ―	頁	おおがい	頑健(がんけん)・頑迷(がんめい)・頑張(がんば)る
偽	音 ギ 訓 いつわ(る) にせ高	亻	にんべん	偽善(ぎぜん)・虚偽(きょぎ)・真偽(しんぎ)・偽証罪(ぎしょうざい) 名前(なまえ)を偽(いつわ)る・偽物(にせもの)
叙	音 ジョ 訓 ―	又	また	叙情詩(じょじょうし)・叙景(じょけい)・叙述(じょじゅつ)
覇	音 ハ 訓 ―	覀	おおいかんむり	制覇(せいは)・覇業(はぎょう)・覇者(はしゃ)

POINT

「渋」「廃」「遮」「償」「診」「賄」は、音でも訓でもよく出題されるので、どちらもきちんと覚えておこう。

A 配当漢字表①

漢字	読み	部首	部首名	用例
遮	音 シャ 訓 さえぎ(る)	辶	しんにょう しんにゅう	遮断(しゃだん)・遮光(しゃこう) 視線(しせん)を遮(さえぎ)る
償	音 ショウ 訓 つぐな(う)	亻	にんべん	償却(しょうきゃく)・賠償(ばいしょう)・無償(むしょう) 罪(つみ)を償(つぐな)う
診	音 シン 訓 み(る)	言	ごんべん	受診(じゅしん)・休診(きゅうしん)・誤診(ごしん)・診療所(しんりょうじょ) 傷(きず)を診(み)る
拙	音 セツ 訓 つたな(い)	扌	てへん	拙速(せっそく)・拙劣(せつれつ)・巧拙(こうせつ)・稚拙(ちせつ) 拙(つたな)い字(じ)
徹	音 テツ 訓 ―	彳	ぎょうにんべん	冷徹(れいてつ)・貫徹(かんてつ)・徹夜(てつや)
媒	音 バイ 訓 ―	女	おんなへん	媒酌(ばいしゃく)・触媒(しょくばい)・媒介(ばいかい)
沸	音 フツ 訓 わ(く) わ(かす)	氵	さんずい	沸騰(ふっとう)・沸点(ふってん)・沸沸(ふつふつ) 湯(ゆ)を沸(わ)かす
泡	音 ホウ 訓 あわ	氵	さんずい	気泡(きほう)・水泡(すいほう)・発泡酒(はっぽうしゅ) 水(みず)の泡(あわ)となる

漢字	読み	部首	部首名	用例
融	音 ユウ 訓 ―	虫	むし	融和(ゆうわ)・融資(ゆうし)・融合(ゆうごう)・融通(ゆうずう)
賄	音 ワイ 訓 まかな(う)	貝	かいへん	収賄(しゅうわい)・贈賄(ぞうわい) 会費(かいひ)で賄(まかな)う
索	音 サク 訓 ―	糸	いと	思索(しさく)・捜索(そうさく)・探索(たんさく)
漆	音 シツ 訓 うるし	氵	さんずい	漆器(しっき)・漆黒(しっこく)・乾漆像(かんしつぞう) 漆塗(うるしぬ)り
浄	音 ジョウ 訓 ―	氵	さんずい	自浄(じじょう)・浄化(じょうか)・浄土(じょうど)・浄財(じょうざい)
壮	音 ソウ 訓 ―	士	さむらい	壮観(そうかん)・豪壮(ごうそう)・壮麗(そうれい)・ 壮健(そうけん)・壮行会(そうこうかい)
逐	音 チク 訓 ―	辶	しんにょう しんにゅう	放逐(ほうちく)・逐次(ちくじ)・逐語訳(ちくごやく)
懲	音 チョウ 訓 こ(りる) こ(らす) こ(らしめる)	心	こころ	懲戒(ちょうかい)・懲役(ちょうえき)・懲罰(ちょうばつ) 悪人(あくにん)を懲(こ)らしめる

配当漢字表①読み

目標時間 15分

合格ライン 34点

得点 ／48

月 日

● 次の――線の**漢字の読み**を**ひらがな**で記せ。

1 余病を併発して入院する。
2 渋みのあるお茶を飲んだ。
3 条約の撤廃を求める。
4 閑静な住宅街が広がる。
5 問い詰められて返事に窮した。
6 病院へ行くのを嫌がる。
7 安逸をむさぼる。
8 彼は寡黙でおとなしい人だ。
9 頑迷な老教師の指導を受ける。
10 自分を偽ることなく正直に生きる。

解答

1 へいはつ
2 しぶ
3 てっぱい
4 かんせい
5 きゅう
6 いや
7 あんいつ
8 かもく
9 がんめい
10 いつわ

11 繊細な叙情詩が胸にしみる。
12 全国制覇を果たした野球部に入る。
13 遮断機が下りる。
14 損害を賠償する。
15 医師の慢心が誤診を招く。
16 幼い子の稚拙な絵がかわいらしい。
17 初志を貫徹する。
18 望まれて媒酌の労をとる。
19 議論が沸き上がった。
20 これまでの努力が水の泡となった。

解答

11 じょじょうし
12 せいは
13 しゃだん
14 ばいしょう
15 ごしん
16 ちせつ
17 かんてつ
18 ばいしゃく
19 わ
20 あわ

21 資金を融通してもらう。
22 収賄が横行する政界にメスを入れる。
23 散歩しながら思索にふける。
24 漆塗りのわんを大切に扱う。
25 組織の自浄作用が働く。
26 壮麗な古代遺跡に目を見張る。
27 反政府派を国外に放逐する。
28 不正行為で懲戒処分を受けた。
29 人は美点と欠点を併せ持つ。
30 苦渋の選択を迫られる。
31 流行が廃れるのは早い。
32 等閑視してはならない問題だ。
33 窮屈な車内では身動きがとれない。
34 殺人の嫌疑がかけられる。

21 ゆうずう
22 しゅうわい
23 しさく
24 うるしぬ
25 じじょう
26 そうれい
27 ほうちく
28 ちょうかい
29 あわ
30 くじゅう
31 すた
32 とうかんし
33 きゅうくつ
34 けんぎ

35 常軌を逸した行為だ。
36 虚偽の証言をして罰せられる。
37 日差しを手で遮る。
38 刑に服して罪を償う。
39 腹痛を訴える患者を診る。
40 終生、裏方に徹した。
41 蚊が風土病を媒介する。
42 水を沸騰させる。
43 永年の努力が水泡に帰した。
44 会報の発行を会費で賄う。
45 長く美しい漆黒の髪を持つ。
46 古典文学を逐語訳する。
47 失敗に懲りる。
48 拙いが心を打つ文章だ。

35 いっ
36 きょぎ
37 さえぎ
38 つぐな
39 み
40 てっ
41 ばいかい
42 ふっとう
43 すいほう
44 まかな
45 しっこく
46 ちくごやく
47 こ
48 つたな

配当漢字表②

漢字	読み	部首	部首名	用例
軟	音 ナン 訓 やわ(らか) やわ(らかい)	車	くるまへん	軟禁(なんきん)・軟式(なんしき)・硬軟(こうなん) 軟(やわ)らかい肉(にく)
銘	音 メイ 訓 ―	金	かねへん	銘菓(めいか)・感銘(かんめい)・銘柄(めいがら)
涼	音 リョウ 訓 すず(しい) すず(む)	氵	さんずい	涼風(りょうふう)・清涼(せいりょう)・納涼(のうりょう) 涼(すず)しい風(かぜ)
陥	音 カン 訓 おちい(る) おとしい(れる)高	阝	こざとへん	陥没(かんぼつ)・陥落(かんらく)・欠陥(けっかん) わなに陥(おちい)る・恐怖(きょうふ)に陥(おとしい)れる
傑	音 ケツ 訓 ―	亻	にんべん	傑出(けっしゅつ)・傑物(けつぶつ)・英傑(えいけつ)・俊傑(しゅんけつ)
献	音 ケン コン 訓 ―	犬	いぬ	献身(けんしん)・文献(ぶんけん)・献立(こんだて)

漢字	読み	部首	部首名	用例
汁	音 ジュウ 訓 しる	氵	さんずい	墨汁(ぼくじゅう)・果汁(かじゅう)・苦汁(くじゅう) 汁粉(しるこ)
薦	音 セン 訓 すす(める)	艹	くさかんむり	自薦(じせん)・推薦(すいせん) 候補者(こうほしゃ)に薦(すす)める
疎	音 ソ 訓 うと(い)高 うと(む)高	𤴔	ひきへん	疎遠(そえん)・空疎(くうそ)・疎開(そかい)・疎外(そがい)・ 疎略(そりゃく)／世事(せじ)に疎(うと)い
惰	音 ダ 訓 ―	忄	りっしんべん	惰眠(だみん)・惰性(だせい)・怠惰(たいだ)・惰力(だりょく)・ 惰弱(だじゃく)・遊惰(ゆうだ)
騰	音 トウ 訓 ―	馬	うま	急騰(きゅうとう)・騰貴(とうき)・高騰(こうとう)
忍	音 ニン 訓 しの(ぶ) しの(ばせる)	心	こころ	残忍(ざんにん)・忍従(にんじゅう)・忍耐(にんたい) 足音(あしおと)を忍(しの)ばせる

POINT

「騰・謄」、「還・環」は、同音で形が似ている。出題されやすいので用例をチェックしてしっかり覚えておこう。

漢字	読み	部首	部首名	用例
禍	音 カ 訓 ―	ネ	しめすへん	禍根(かこん)・災禍(さいか)・舌禍事件(ぜっかじけん)
殻	音 カク 訓 から	殳	るまた ほこづくり	地殻(ちかく)・甲殻類(こうかくるい) 貝殻(かいがら)
括	音 カツ 訓 ―	扌	てへん	概括(がいかつ)・総括(そうかつ)・括弧(かっこ)・一括(いっかつ)
還	音 カン 訓 ―	辶	しんにょう しんにゅう	還元(かんげん)・召還(しょうかん)・帰還(きかん)
懇	音 コン 訓 ねんご(ろ)(高)	心	こころ	懇懇(こんこん)・懇意(こんい)・懇親会(こんしんかい) 懇(ねんご)ろな間柄(あいだがら)
砕	音 サイ 訓 くだ(く) くだ(ける)	石	いしへん	粉砕(ふんさい)・砕石(さいせき)・砕氷船(さいひょうせん) 岩(いわ)を砕(くだ)く
酌	音 シャク 訓 く(む)(高)	酉	とりへん	媒酌(ばいしゃく)・晩酌(ばんしゃく)・酌量(しゃくりょう) 酒(さけ)を酌(く)みかわす
臭	音 シュウ 訓 くさ(い) にお(う)	自	みずから	異臭(いしゅう)・無臭(むしゅう)・臭気(しゅうき)・臭覚(しゅうかく) きな臭(くさ)い・ガスが臭(にお)う

漢字	読み	部首	部首名	用例
愁	音 シュウ 訓 うれ(える)(高) うれ(い)(高)	心	こころ	憂愁(ゆうしゅう)・旅愁(りょしゅう)・哀愁(あいしゅう)・愁嘆場(しゅうたんば)／愁(うれ)いを含(ふく)んだ顔(かお)
緒	音 ショ チョ 訓 お	糸	いとへん	情緒(じょうちょ・じょうしょ)・内緒(ないしょ)・一緒(いっしょ)・端緒(たんしょ) 鼻緒(はなお)
旋	音 セン 訓 ―	方	ほうへん かたへん	周旋(しゅうせん)・旋律(せんりつ)・旋回(せんかい)
捜	音 ソウ 訓 さが(す)	扌	てへん	捜索(そうさく)・捜査(そうさ) 手(て)がかりを捜(さが)す
肌	音 ― 訓 はだ	月	にくづき	山肌(やまはだ)・肌合(はだあ)い・柔肌(やわはだ)・素肌(すはだ)
煩	音 ハン ボン(高) 訓 わずら(う) わずら(わす)	火	ひへん	煩忙(はんぼう)・煩務(はんむ)・煩雑(はんざつ)・煩悩(ぼんのう) 手(て)を煩(わずら)わす
弊	音 ヘイ 訓 ―	廾	こまぬき にじゅうあし	語弊(ごへい)・弊害(へいがい)・疲弊(ひへい)
諭	音 ユ 訓 さと(す)	言	ごんべん	説諭(せつゆ)・教諭(きょうゆ)・諭旨(ゆし) 穏(おだ)やかに諭(さと)す

配当漢字表②読み

● 次の――線の**漢字の読み**を**ひらがな**で記せ。

1 長期間の軟禁状態から解放された。
2 感銘を受けた本を人にすすめる。
3 日差しが強いので木陰で涼む。
4 大雨の影響で道路が陥没した。
5 彼はなかなかの傑物だ。
6 献身的に病人の世話をする。
7 小豆で汁粉を作る。
8 彼を委員長に推薦した。
9 組織から疎外される。
10 彼は惰眠をむさぼるばかりだった。

解答

1 なんきん
2 かんめい
3 すず
4 かんぼつ
5 けつぶつ
6 けんしん
7 しるこ
8 すいせん
9 そがい
10 だみん

11 物価の騰貴が家計を直撃した。
12 ひたすら忍従の生活を送る。
13 将来に禍根を残さぬようにしよう。
14 浜辺で貝殻を拾う。
15 一年間の活動を総括する。
16 得た利益を社会に還元する。
17 道理を懇懇と説き聞かせる。
18 敵軍の部隊を粉砕する。
19 情状を酌量した判決が下される。
20 臭いものにふたをする

解答

11 とうき
12 にんじゅう
13 かこん
14 かいがら
15 そうかつ
16 かんげん
17 こんこん
18 ふんさい
19 しゃくりょう
20 くさ

得点
／48
月　日

21 深く憂愁に閉ざされる。
22 げたの鼻緒をすげ替える。
23 不動産業者が下宿先を周旋した。
24 いなくなった猫を捜す。
25 日焼けした素肌にあこがれる。
26 煩雑な手続きに音を上げる。
27 偽善だと言っては語弊がある。
28 違反行為をして諭旨免職となった。
29 野菜が軟らかくなるまで煮る。
30 川辺に涼風が吹きわたった。
31 スランプに陥る。
32 壁に給食の献立表をはった。
33 果汁の多い果物が好きだ。
34 課題図書として薦める。

21 ゆうしゅう
22 はなお
23 しゅうせん
24 さが
25 すはだ
26 はんざつ
27 ごへい
28 ゆし
29 やわ
30 りょうふう
31 おちい
32 こんだて
33 かじゅう
34 すす

35 江戸情緒の残る下町を歩く。
36 足音を忍ばせて部屋に入った。
37 エビやカニは甲殻類だ。
38 代金を一括して支払った。
39 戦場から兵士が帰還した。
40 台風の影響で野菜の価格が急騰した。
41 波頭が砕けて白波が立つ。
42 隣人とは懇意にしている。
43 臭覚が刺激される。
44 愁嘆場の演技に魅せられる。
45 内緒の話を聞かされる。
46 家出人を捜索する。
47 将来を思い煩う。
48 神父に諭されて改心する。

35 じょうちょ（じょうしょ）
36 しの
37 こうかく
38 いっかつ
39 きかん
40 きゅうとう
41 くだ
42 こんい
43 しゅうかく
44 しゅうたんば
45 ないしょ
46 そうさく
47 わずら
48 さと

Aランク

配当漢字表③

漢字	読み	部首	部首名	用例
履	音 リ／訓 は(く)	尸	しかばね／かばね	履歴書(りれきしょ)・不履行(ふりこう)・履修(りしゅう)／履き物(はきもの)
垣	音 ―／訓 かき	土	つちへん	垣根(かきね)・人垣(ひとがき)・石垣(いしがき)
謹	音 キン／訓 つつし(む)	言	ごんべん	謹呈(きんてい)・謹慎(きんしん)・謹賀(きんが)・謹言(きんげん)／謹(つつし)んで申(もう)し上(あ)げる
吟	音 ギン／訓 ―	口	くちへん	吟醸酒(ぎんじょうしゅ)・吟味(ぎんみ)・独吟(どくぎん)・吟詠(ぎんえい)
顕	音 ケン／訓 ―	頁	おおがい	露顕(ろけん)・顕著(けんちょ)・顕示(けんじ)
肯	音 コウ／訓 ―	肉	にく	肯定(こうてい)・首肯(しゅこう)

漢字	読み	部首	部首名	用例
剛	音 ゴウ／訓 ―	刂	りっとう	剛直(ごうちょく)・剛胆(ごうたん)・金剛石(こんごうせき)
酷	音 コク／訓 ―	酉	とりへん	酷似(こくじ)・酷使(こくし)・過酷(かこく)・酷薄(こくはく)
醜	音 シュウ／訓 みにく(い)	酉	とりへん	醜態(しゅうたい)・醜聞(しゅうぶん)・美醜(びしゅう)／醜(みにく)い争(あらそ)い
充	音 ジュウ／訓 あ(てる)高	儿	ひとあし／にんにょう	充満(じゅうまん)・補充(ほじゅう)・拡充(かくじゅう)／建築費(けんちくひ)に充(あ)てる
粛	音 シュク／訓 ―	聿	ふでづくり	自粛(じしゅく)・粛然(しゅくぜん)・粛清(しゅくせい)・粛粛(しゅくしゅく)
俊	音 シュン／訓 ―	亻	にんべん	俊才(しゅんさい)・俊足(しゅんそく)・俊敏(しゅんびん)・俊傑(しゅんけつ)

POINT

「謹む」と「醜い」は、送りがなを間違えやすいので注意しよう。

漢字	読み	部首	部首名	用例
礁	音 ショウ 訓 —	石	いしへん	岩礁(がんしょう)・魚礁(ぎょしょう)・座礁(ざしょう)
据	音 — 訓 す(える)　す(わる)	扌	てへん	見据(みす)える・据(す)え置(お)く・首(くび)が据(す)わる
誓	音 セイ 訓 ちか(う)	言	げん	宣誓(せんせい)・誓約書(せいやくしょ)・誓願(せいがん)・必勝(ひっしょう)を誓(ちか)う
禅	音 ゼン 訓 —	ネ	しめすへん	座禅(ざぜん)・禅問答(ぜんもんどう)・禅譲(ぜんじょう)・禅宗(ぜんしゅう)
挑	音 チョウ 訓 いど(む)	扌	てへん	挑発(ちょうはつ)・挑戦(ちょうせん)・試合(しあい)に挑(いど)む
筒	音 トウ 訓 つつ	⺮	たけかんむり	水筒(すいとう)・封筒(ふうとう)・円筒形(えんとうけい)・茶筒(ちゃづつ)・筒抜(つつぬ)け
督	音 トク 訓 —	目	め	監督(かんとく)・督促状(とくそくじょう)・家督(かとく)・督励(とくれい)
賓	音 ヒン 訓 —	貝	かい　こがい	来賓(らいひん)・国賓(こくひん)・貴賓(きひん)

漢字	読み	部首	部首名	用例
朴	音 ボク 訓 —	木	きへん	質朴(しつぼく)・素朴(そぼく)・純朴(じゅんぼく)
疫	音 エキ　ヤク(高) 訓 —	疒	やまいだれ	悪疫(あくえき)・免疫(めんえき)・疫病(えきびょう)・疫病神(やくびょうがみ)
飢	音 キ 訓 う(える)	飠	しょくへん	飢餓(きが)・飢(う)えに苦(くる)しむ
勲	音 クン 訓 —	力	ちから	勲功(くんこう)・勲章(くんしょう)・殊勲(しゅくん)
懸	音 ケン　ケ(高) 訓 か(ける)　か(かる)	心	こころ	懸命(けんめい)・懸賞(けんしょう)・懸垂(けんすい)・懸念(けねん)・命懸(いのちが)け
衡	音 コウ 訓 —	行	ぎょうがまえ　ゆきがまえ	平衡(へいこう)・均衡(きんこう)・度量衡(どりょうこう)
酢	音 サク 訓 す	酉	とりへん	酢酸(さくさん)・酢(す)の物(もの)・三杯酢(さんばいず)
叔	音 シュク 訓 —	又	また	外叔(がいしゅく)・叔父(おじ・しゅくふ)・叔母(おば・しゅくぼ)

配当漢字表③読み

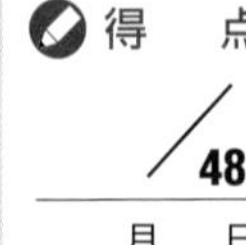

合格ライン
34点

得点
/48
月 日

● 次の――線の**漢字の読み**を**ひらがな**で記せ。

1 洋服に合わせた靴を履く。
2 垣根越しに話をする。
3 謹慎生活を余儀なくされる。
4 春を題に俳句を吟ずる。
5 兄は自己顕示欲が強い。
6 首肯しかねる発言だ。
7 彼は見かけによらず剛直な男だ。
8 他の本と内容が酷似している。
9 著名人の醜聞が雑誌に載る。
10 部屋に煙が充満する。

解答
1 は
2 かきね
3 きんしん
4 ぎん
5 けんじ
6 しゅこう
7 ごうちょく
8 こくじ
9 しゅうぶん
10 じゅうまん

11 式場は粛然としていた。
12 彼は俊才の誉れが高い。
13 人工の魚礁を造成した。
14 腹を据えて事に当たる。
15 二人は永遠の愛を誓った。
16 彼との話はまるで禅問答のようだ。
17 対戦相手を挑発する。
18 ステンレス製の水筒を買う。
19 部下を督励して研究を進めた。
20 卒業式に来賓として出席する。

解答
11 しゅくぜん
12 しゅんさい
13 ぎょしょう
14 す
15 ちか
16 ぜんもんどう
17 ちょうはつ
18 すいとう
19 とくれい
20 らいひん

21 飾り気のない素朴な人柄が好きだ。
22 免疫力が低下する。
23 難民の飢えた子供たちを救おう。
24 祖父は数々の勲功を立てた。
25 鉄棒を使って懸垂をする。
26 両勢力は均衡を保っている。
27 ワカメの酢みそあえを作る。
28 父母の弟にあたる人は叔父である。
29 契約不履行で訴えられた。
30 謹んで話を聞く。
31 品質をよく吟味して選ぶ。
32 顕著な効果が見られる。
33 金剛石とはダイヤモンドのことだ。
34 悪人が酷薄な笑みを浮かべた。

21 そぼく
22 めんえき
23 う
24 くんこう
25 けんすい
26 きんこう
27 す
28 おじ（しゅくふ）
29 ふりこう
30 つつし
31 ぎんみ
32 けんちょ
33 こんごうせき
34 こくはく

35 醜い骨肉の争いを招いてしまった。
36 やっと赤ちゃんの首が据わった。
37 派手な宣伝を自粛する。
38 常に先を読んで動く俊敏な記者だ。
39 誓約書に判を押す。
40 事件の解決に挑む。
41 機密情報が外部に筒抜けだった。
42 ペストは死亡率の高い疫病だ。
43 食糧不足が飢餓をもたらす。
44 全国大会出場を懸けて戦う。
45 酢酸は酢の酸味の主成分だ。
46 外叔とは母親の弟のことだ。
47 身体の平衡感覚を失った。
48 座禅を組み精神を集中する。

35 みにく
36 す
37 じしゅく
38 しゅんびん
39 せいやく
40 いど
41 つつぬ
42 えきびょう
43 きが
44 か
45 さくさん
46 がいしゅく
47 へいこう
48 ざぜん

A 配当漢字表③読み

配当漢字表④

漢字	読み	部首	部首名	用例
漸	音 ゼン 訓 —	氵	さんずい	漸進(ぜんしん)・漸次(ぜんじ)・漸減(ぜんげん)・漸増(ぜんぞう)
喪	音 ソウ 訓 も	口	くち	喪心(そうしん)・喪失(そうしつ)・喪中(もちゅう)・喪(も)が明(あ)ける
駄	音 ダ 訓 —	馬	うまへん	無駄(むだ)・駄文(だぶん)・駄賃(だちん)・駄目(だめ)・駄弁(だべん)
眺	音 チョウ 訓 なが(める)	目	めへん	眺望(ちょうぼう) 眼下(がんか)を眺(なが)める
坪	音 — 訓 つぼ	土	つちへん	建坪(たてつぼ)・坪庭(つぼにわ)・坪数(つぼすう)
廷	音 テイ 訓 —	廴	えんにょう	朝廷(ちょうてい)・出廷(しゅってい)・法廷(ほうてい)・宮廷(きゅうてい)

漢字	読み	部首	部首名	用例
偏	音 ヘン 訓 かたよ(る)	亻	にんべん	偏重(へんちょう)・偏向(へんこう)・偏屈(へんくつ) 偏(かたよ)った意見(いけん)
摩	音 マ 訓 —	手	て	摩天楼(まてんろう)・摩擦(まさつ)・摩滅(まめつ)
癒	音 ユ 訓 い(える) い(やす)	疒	やまいだれ	快癒(かいゆ)・治癒(ちゆ)・癒着(ゆちゃく)・平癒(へいゆ) 病(やまい)が癒(い)える
悠	音 ユウ 訓 —	心	こころ	悠久(ゆうきゅう)・悠長(ゆうちょう)・悠揚(ゆうよう)
竜	音 リュウ 訓 たつ	竜	りゅう	恐竜(きょうりゅう)・竜宮(りゅうぐう)・登竜門(とうりゅうもん) 竜巻(たつまき)
渦	音 カ㊐ 訓 うず	氵	さんずい	渦中(かちゅう) 渦潮(うずしお)・渦巻(うずま)き

POINT

「喪」「廷」「悠」「擬」「溝」「呈」「棟」は、同音漢字が多いので、注意して覚えるようにしよう。

漢字	読み	部首	部首名	用例
靴	音 カ㊫ 訓 くつ	革	かわへん	製靴(せいか)・革靴(かわぐつ)・靴下(くつした)・雨靴(あまぐつ)
轄	音 カツ 訓 ―	車	くるまへん	直轄地(ちょっかつち)・管轄(かんかつ)・所轄(しょかつ)
擬	音 ギ 訓 ―	扌	てへん	擬態(ぎたい)・模擬(もぎ)・擬音(ぎおん)・擬人法(ぎじんほう)
拒	音 キョ 訓 こば(む)	扌	てへん	拒絶(きょぜつ)・拒否(きょひ)・抗拒(こうきょ) 申(もう)し入(い)れを拒(こば)む
菌	音 キン 訓 ―	艹	くさかんむり	抗菌(こうきん)・病原菌(びょうげんきん)・菌糸(きんし)・細菌(さいきん)・滅菌(めっきん)・殺菌(さっきん)
襟	音 キン㊫ 訓 えり	衤	ころもへん	開襟(かいきん)・襟度(きんど)／シャツの襟(えり)・襟元(えりもと)・襟足(えりあし)・襟首(えりくび)
慶	音 ケイ 訓 ―	心	こころ	慶弔(けいちょう)・慶祝(けいしゅく)・同慶(どうけい)・慶事(けいじ)
溝	音 コウ 訓 みぞ	氵	さんずい	海溝(かいこう)・側溝(そっこう)・排水溝(はいすいこう) 溝(みぞ)を埋(う)める

漢字	読み	部首	部首名	用例
珠	音 シュ 訓 ―	王	おうへん たまへん	珠算(しゅざん)・珠玉(しゅぎょく)・真珠(しんじゅ)
銃	音 ジュウ 訓 ―	釒	かねへん	銃声(じゅうせい)・猟銃(りょうじゅう)・火縄銃(ひなわじゅう)
升	音 ショウ 訓 ます	十	じゅう	一升瓶(いっしょうびん) 升席(ますせき)・升酒(ますざけ)・升目(ますめ)
症	音 ショウ 訓 ―	疒	やまいだれ	軽症(けいしょう)・症候群(しょうこうぐん)・症状(しょうじょう)
堕	音 ダ 訓 ―	土	つち	堕落(だらく)・堕胎(だたい)
弔	音 チョウ 訓 とむら(う)	弓	ゆみ	弔慰金(ちょういきん)・弔電(ちょうでん)・弔問(ちょうもん) 弔(とむら)い合戦(がっせん)
呈	音 テイ 訓 ―	口	くち	謹呈(きんてい)・贈呈(ぞうてい)・露呈(ろてい)
棟	音 トウ 訓 むね むな㊫	木	きへん	病棟(びょうとう)・上棟式(じょうとうしき) 棟上(むねあ)げ・棟木(むなぎ)

配当漢字表④読み

目標時間 15分

合格ライン 34点

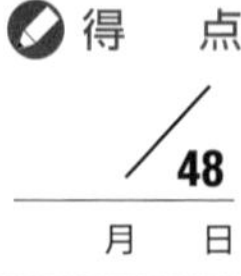

●次の――線の**漢字の読み**を**ひらがな**で記せ。

1 解決に向けて漸進している。
2 近親者が亡くなり喪に服する。
3 雑誌に駄文が載った。
4 機上から下界を眺める。
5 敷地は広いが建坪は小さい。
6 華やかな宮廷生活だった。
7 学歴偏重の社会を改善する。
8 機械の部品が摩滅してしまった。
9 快癒するまで長くかかるらしい。
10 悠久の昔に思いをはせる。

解答

1 ぜんしん
2 も
3 だぶん
4 なが
5 たてつぼ
6 きゅうてい
7 へんちょう
8 まめつ
9 かいゆ
10 ゆうきゅう

11 新人賞は作家への登竜門だ。
12 橋の上から大きな渦潮を見た。
13 丁寧に磨かれた革靴を履く。
14 外務省管轄の機関に勤める。
15 ナナフシの擬態に惑わされる。
16 断固申し出を拒絶する。
17 抗菌加工を施してある。
18 人の忠告を襟を正して聞く。
19 慶事の贈り物にのしをつける。
20 道路の側溝に車輪がはまる。

解答

11 とうりゅうもん
12 うずしお
13 かわぐつ
14 かんかつ
15 ぎたい
16 きょぜつ
17 こうきん
18 えり
19 けいじ
20 そっこう

21 この映画は珠玉の名作といわれた。
22 銃声がやんで一瞬の静寂が訪れた。
23 居酒屋で升酒を飲んだ。
24 幸い父の病気は軽症で済んだ。
25 堕落した政治に嫌気がさす。
26 葬儀には多くの弔問客が訪れた。
27 テレビの報道に苦言を呈する。
28 新しい外科病棟に移った。
29 売上高は漸増している。
30 すっかり自信を喪失した。
31 無駄口をたたいてしかられる。
32 山頂からの眺望を楽しむ。
33 偏った意見は支持されない。
34 砂漠に摩天楼が出現する。

21 しゅぎょく
22 じゅうせい
23 ますざけ
24 けいしょう
25 だらく
26 ちょうもん
27 てい
28 びょうとう
29 ぜんぞう
30 そうしつ
31 むだ
32 ちょうぼう
33 かたよ
34 まてんろう

35 政界と財界の癒着が腐敗を生む。
36 悠揚迫らぬ態度で接する。
37 竜巻で大きな被害が出た。
38 慶祝行事が営まれる。
39 渦巻き模様が連なっていた。
40 模擬試験の答案用紙が返却される。
41 情報公開の請求を拒む。
42 細菌の発酵作用を利用する。
43 地酒の一升瓶が並んでいる。
44 夫婦間の溝が深まる。
45 墓前で死者を弔う。
46 記念品を贈呈する。
47 棟上げ式を行った。
48 襟足を刈り上げた髪型にする。

35 ゆちゃく
36 ゆうよう
37 たつまき
38 けいしゅく
39 うずま
40 もぎ
41 こば
42 さいきん
43 いっしょう
44 みぞ
45 とむら
46 ぞうてい
47 むねあ
48 えりあし

配当漢字表⑤

漢字	読み	部首	部首名	用例
把	音 ハ 訓 —	扌	てへん	把握(はあく)・大雑把(おおざっぱ)・十把(じっぱ)ひとからげ
閥	音 バツ 訓 —	門	もんがまえ	派閥(はばつ)・財閥(ざいばつ)・学閥(がくばつ)
扉	音 ヒ(高) 訓 とびら	戸	とだれ とかんむり	門扉(もんぴ)・開扉(かいひ) 扉絵(とびらえ)・扉(とびら)を開(ひら)く
頻	音 ヒン 訓 —	頁	おおがい	頻出(ひんしゅつ)・頻発(ひんぱつ)・頻度(ひんど)・頻繁(ひんぱん)
譜	音 フ 訓 —	言	ごんべん	採譜(さいふ)・楽譜(がくふ)・譜代(ふだい)・譜面(ふめん)・ 系譜(けいふ)
遍	音 ヘン 訓 —	辶	しんにょう しんにゅう	遍路(へんろ)・普遍(ふへん)・満遍(まんべん)なく

漢字	読み	部首	部首名	用例
麻	音 マ 訓 あさ	麻	あさ	麻薬(まやく)・麻酔(ますい)・亜麻色(あまいろ) 麻(あさ)の布(ぬの)
戻	音 レイ(高) 訓 もど(す) もど(る)	戸	とだれ とかんむり	背戻(はいれい)・違戻(いれい) 払(はら)い戻(もど)し・元(もと)に戻(もど)る
枠	音 — 訓 わく	木	きへん	大枠(おおわく)・別枠(べつわく)・枠内(わくない)
稼	音 カ(高) 訓 かせ(ぐ)	禾	のぎへん	稼業(かぎょう)・稼働(かどう) 出稼(でかせ)ぎ・共稼(ともかせ)ぎ・点(てん)を稼(かせ)ぐ
渇	音 カツ(高) 訓 かわ(く)	氵	さんずい	渇望(かつぼう)・枯渇(こかつ)・渇水(かっすい) のどが渇(かわ)く・音楽(おんがく)に渇(かわ)く
且	音 — 訓 か(つ)	一	いち	飲(の)み且(か)つ歌(うた)う

POINT

「渇・喝・褐」は「渇水・一喝・褐色」の用例と共にきちんと覚えておこう。

漢字	読み	部首	部首名	用例
堪	音 カン(高) 訓 た(える)	土	つちへん	堪忍(かんにん) 感(かん)に堪(た)えない
寛	音 カン 訓 ―	宀	うかんむり	寛大(かんだい)・寛容(かんよう)・寛厚(かんこう)
艦	音 カン 訓 ―	舟	ふねへん	艦長(かんちょう)・艦艇(かんてい)・戦艦(せんかん)
享	音 キョウ 訓 ―	亠	なべぶた けいさんかんむり	享楽(きょうらく)・享受(きょうじゅ)・享年(きょうねん)・享有(きょうゆう)
琴	音 キン 訓 こと	王	おう	手風琴(てふうきん)・琴線(きんせん) 琴(こと)を弾(ひ)く
渓	音 ケイ 訓 ―	氵	さんずい	渓流(けいりゅう)・渓谷(けいこく)・雪渓(せっけい)
蛍	音 ケイ 訓 ほたる	虫	むし	蛍光灯(けいこうとう)・蛍雪(けいせつ) 蛍(ほたる)が光(ひか)る
宰	音 サイ 訓 ―	宀	うかんむり	宰相(さいしょう)・主宰(しゅさい)・宰領(さいりょう)

漢字	読み	部首	部首名	用例
傘	音 サン(高) 訓 かさ	人	ひとやね	傘下(さんか)・鉄傘(てっさん) 雨傘(あまがさ)・日傘(ひがさ)・傘(かさ)をさす
爵	音 シャク 訓 ―	爫	つめかんむり つめがしら	爵位(しゃくい)・公爵(こうしゃく)・男爵(だんしゃく)
遷	音 セン 訓 ―	辶	しんにょう しんにゅう	遷都(せんと)・変遷(へんせん)・左遷(させん)
刃	音 ジン(高) 訓 は	刀	かたな	刃創(じんそう)・凶刃(きょうじん) 刃物(はもの)・刃先(はさき)・刃渡(はわた)り
枢	音 スウ 訓 ―	木	きへん	中枢(ちゅうすう)・枢要(すうよう)・枢軸(すうじく)
杉	音 ― 訓 すぎ	木	きへん	杉並木(すぎなみき)・杉戸(すぎど)・杉林(すぎばやし)
斉	音 セイ 訓 ―	斉	せい	一斉(いっせい)・斉唱(せいしょう)・均斉(きんせい)
逝	音 セイ 訓 ゆ(く)(高) い(く)(高)	辶	しんにょう しんにゅう	逝去(せいきょ)・急逝(きゅうせい)・長逝(ちょうせい) 英雄(えいゆう)が逝(ゆ)く

配当漢字表⑤読み

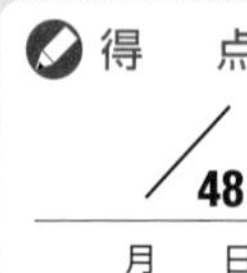

目標時間 15分

合格ライン 34点

得点 ／48 月 日

●次の――線の**漢字の読み**を**ひらがな**で記せ。

1 社員の意見を把握する。
2 派閥政治から脱却する。
3 画家が本の扉絵を描く。
4 入試に出題される頻度が高い。
5 東北の民謡を採譜した。
6 四国の霊場を遍路する。
7 麻のスーツを着た紳士が来る。
8 やっと故郷へ戻ってきた。
9 枠にはまった考え方しかできない。
10 地方から出稼ぎに来る。

解答

1 はあく
2 はばつ
3 とびらえ
4 ひんど
5 さいふ
6 へんろ
7 あさ
8 もど
9 わく
10 でかせ

11 水を飲んでのどの渇きを潤す。
12 仲間と大いに飲み、且つ歌った。
13 聞くに堪えない野次が飛ぶ。
14 寛容な態度で人に接する。
15 艦長の出す指示は絶対的なものだ。
16 都会で享楽的な生活を送る。
17 琴の美しい音色に耳を傾ける。
18 渓流でヤマメを釣る。
19 田んぼで蛍が舞っている。
20 一国の宰相として政務にあたる。

解答

11 かわ
12 か
13 た
14 かんよう
15 かんちょう
16 きょうらく
17 こと
18 けいりゅう
19 ほたる
20 さいしょう

21 電車内に雨傘を忘れてきた。
22 明治時代に爵位を授かった。
23 古代では遷都が繰り返された。
24 刃物を研いで切れ味を良くする。
25 会社の枢要な地位に就く。
26 街道の両側に杉並木が続く。
27 卒業生が校歌を斉唱する。
28 恩師急逝の報が届いた。
29 大雑把に内容をつかむ。
30 学閥が幅をきかせている。
31 昨年他界した祖父は享年七十だった。
32 事故が頻繁に起きる場所だ。
33 渡り鳥は一斉に飛び立っていった。
34 出席者に満遍なく声をかける。

21 あまがさ
22 しゃくい
23 せんと
24 はもの
25 すうよう
26 すぎなみき
27 せいしょう
28 きゅうせい
29 おおざっぱ
30 がくばつ
31 きょうねん
32 ひんぱん
33 いっせい
34 まんべん

35 麻酔からやっと覚める。
36 別枠の予算が設けられた。
37 学費を稼ぐためにアルバイトをする。
38 連合軍が枢軸国に攻め入った。
39 父は寛厚な人柄で慕われた。
40 彼は豊かな才能を享有している。
41 心の琴線に触れたようだ。
42 雪渓をスキーで滑り降りる。
43 看板に蛍光塗料を塗る。
44 詩の同人誌を主宰する。
45 時代の変遷に耐えてきた作品だ。
46 均斉のとれた体つきをしている。
47 徳川家の信頼が厚い譜代大名だ。
48 借りていた本を書棚に戻した。

35 ますい
36 べつわく
37 かせ
38 すうじく
39 かんこう
40 きょうゆう
41 きんせん
42 せっけい
43 けいこう
44 しゅさい
45 へんせん
46 きんせい
47 ふだい
48 もど

B ランク

配当漢字表①

漢字	読み	部首	部首名	用例
析	音 セキ　訓 —	木	きへん	透析(とうせき)・解析(かいせき)・分析(ぶんせき)
挿	音 ソウ　訓 さ(す)	扌	てへん	挿入(そうにゅう)・挿話(そうわ)　挿し木(さしき)
棚	音 —　訓 たな	木	きへん	戸棚(とだな)・棚田(たなだ)・棚卸し(たなおろし)
衷	音 チュウ　訓 —	衣	ころも	折衷(せっちゅう)・苦衷(くちゅう)・衷心(ちゅうしん)
邸	音 テイ　訓 —	阝	おおざと	邸宅(ていたく)・官邸(かんてい)・豪邸(ごうてい)
撤	音 テツ　訓 —	扌	てへん	撤回(てっかい)・撤収(てっしゅう)・撤廃(てっぱい)

漢字	読み	部首	部首名	用例
悼	音 トウ　訓 いた(む)(高)	忄	りっしんべん	哀悼(あいとう)・追悼(ついとう)・悼辞(とうじ)　親友(しんゆう)の死を悼(いた)む
頒	音 ハン　訓 —	頁	おおがい	頒価(はんか)・頒布(はんぷ)
褒	音 ホウ(高)　訓 ほ(める)	衣	ころも	褒美(ほうび)・褒賞(ほうしょう)・褒章(ほうしょう)　褒(ほ)めたたえる
剖	音 ボウ　訓 —	刂	りっとう	解剖(かいぼう)・剖検(ぼうけん)
抹	音 マツ　訓 —	扌	てへん	一抹(いちまつ)・抹茶(まっちゃ)・抹消(まっしょう)
愉	音 ユ　訓 —	忄	りっしんべん	愉快(ゆかい)・愉悦(ゆえつ)

POINT

「撤・徹」、「頒・煩」、「愉・諭」は同音で形が似ている。用例と共に覚えよう。

漢字	読み（音）	読み（訓）	部首	部首名	用例
庸	ヨウ	—	广	まだれ	中庸(ちゅうよう)・凡庸(ぼんよう)・租庸調(そようちょう)
窯	ヨウ(高)	かま	穴	あなかんむり	窯業(ようぎょう)・窯変(ようへん) 窯元(かまもと)・窯出し(かまだし)・登り窯(のぼりがま)
羅	ラ	—	罒	あみがしら あみめ よこめ	網羅(もうら)・羅列(られつ)・羅針盤(らしんばん)・森羅万象(しんらばんしょう)
柳	リュウ	やなぎ	木	きへん	川柳(せんりゅう)・花柳界(かりゅうかい) 柳腰(やなぎごし)
倫	リン	—	亻	にんべん	倫理観(りんりかん)・人倫(じんりん)・不倫(ふりん)
猿	エン	さる	犭	けものへん	猿人(えんじん)・犬猿の仲(けんえんのなか) 猿知恵(さるぢえ)・猿楽(さるがく)
患	カン	わずら(う)(高)	心	こころ	疾患(しっかん)・患部(かんぶ)・急患(きゅうかん) 胸を患う(むねをわずらう)
款	カン	—	欠	あくび かける	約款(やっかん)・定款(ていかん)・借款(しゃっかん)・落款(らっかん)

漢字	読み（音）	読み（訓）	部首	部首名	用例
糾	キュウ	—	糸	いとへん	紛糾(ふんきゅう)・糾明(きゅうめい)・糾弾(きゅうだん)
挟	キョウ(高)	はさ(む) はさ(まる)	扌	てへん	挟撃(きょうげき)・挟持(きょうじ) 川を挟む(かわをはさむ)・口を挟む(くちをはさむ)
茎	ケイ	くき	艹	くさかんむり	地下茎(ちかけい)・根茎(こんけい) 歯茎(はぐき)
繭	ケン(高)	まゆ	糸	いと	繭糸(けんし)・蚕繭(さんけん) 蚕の繭(かいこのまゆ)・繭玉(まゆだま)
但	—	ただ(し)	亻	にんべん	但し書き(ただしがき)
淑	シュク	—	氵	さんずい	私淑(ししゅく)・貞淑(ていしゅく)・淑女(しゅくじょ)
准	ジュン	—	冫	にすい	批准(ひじゅん)・准尉(じゅんい)
肖	ショウ	—	肉	にく	肖像画(しょうぞうが)・不肖(ふしょう)

配当漢字表①読み

● 次の――線の**漢字の読み**を**ひらがな**で記せ。

1 実験データを解析する。
2 随所にイラストを挿入する。
3 棚田を大切に守っていく。
4 衷心より御礼申し上げます。
5 その俳優は豪邸に住んでいる。
6 条約の撤廃を求める。
7 故人に哀悼の意を表する。
8 同人誌の頒価を決めた。
9 生徒の努力を褒める。
10 解剖学の権威に話を聞く。

解答

1 かいせき
2 そうにゅう
3 たなだ
4 ちゅうしん
5 ごうてい
6 てっぱい
7 あいとう
8 はんか
9 ほ
10 かいぼう

11 一抹の不安がよぎる。
12 愉快な人形劇だった。
13 この作品の出来は凡庸である。
14 窯元で陶芸の修業をする。
15 擬音語を網羅した辞典を作る。
16 土手に大きな柳の木がある。
17 大学では倫理学を専攻した。
18 最古の猿人の化石が出土した。
19 患部に薬を塗って包帯を巻いた。
20 会社の定款を変更する。

解答

11 いちまつ
12 ゆかい
13 ぼんよう
14 かまもと
15 もうら
16 やなぎ
17 りんり
18 えんじん
19 かんぶ
20 ていかん

得 点
／48
月 日

21 会議は紛糾している。
22 うわさを小耳に挟む。
23 ヒマワリの茎が折れてしまった。
24 蚕が真っ白な繭を作っている。
25 認定書には但し書きがついていた。
26 僕はこの作家に私淑しています。
27 条約は無事に批准された。
28 代々の社長の肖像画を掛ける。
29 週に三回、人工透析を受けている。
30 挿し木から育成する。
31 棚卸しのため店を休業する。
32 現場からの撤収作業を行う。
33 恩師の葬式で悼辞を読む。
34 地酒の頒布会を利用する。

21 ふんきゅう
22 はさ
23 くき
24 まゆ
25 ただ
26 ししゅく
27 ひじゅん
28 しょうぞうが
29 とうせき
30 さ
31 たなおろ
32 てっしゅう
33 とうじ
34 はんぷ

35 会社の不正行為を糾弾する。
36 出場選手登録を抹消された。
37 裏山に登り窯をつくった。
38 この世の森羅万象について考える。
39 川柳を新聞に投稿する。
40 人倫にもとる行為だと責める。
41 猿楽は中世に発達した芸能である。
42 胸部の疾患で入院する。
43 最後に落款を押して完成させる。
44 両軍は川を挟んで相対した。
45 ハスの地下茎は横に伸びていく。
46 繭玉を作って家に飾った。
47 和洋折衷の料理でもてなす。
48 巧みに挿話を織り込んで語る。

35 きゅうだん
36 まっしょう
37 がま
38 しんら
39 せんりゅう
40 じんりん
41 さるがく
42 しっかん
43 らっかん
44 はさ
45 ちかけい
46 まゆだま
47 せっちゅう
48 そうわ

配当漢字表②

漢字	読み	部首	部首名	用例
尚	音 ショウ 訓 —	⺌	しょう	高尚(こうしょう)・好尚(こうしょう)・尚早(しょうそう)・尚武(しょうぶ)
宵	音 ショウ(高) 訓 よい	宀	うかんむり	春宵(しゅんしょう)・徹宵(てっしょう) 宵(よい)の明星(みょうじょう)・宵(よい)っ張(ぱ)り
奨	音 ショウ 訓 —	大	だい	推奨(すいしょう)・奨励(しょうれい)・勧奨(かんしょう)・奨学金(しょうがくきん)
剰	音 ジョウ 訓 —	刂	りっとう	余剰(よじょう)・剰員(じょういん)・過剰(かじょう)
壌	音 ジョウ 訓 —	土	つちへん	土壌(どじょう)・天壌(てんじょう)
醸	音 ジョウ 訓 かも(す)(高)	酉	とりへん	醸成(じょうせい)・吟醸(ぎんじょう)・醸造(じょうぞう) 物議(ぶつぎ)を醸(かも)す

漢字	読み	部首	部首名	用例
津	音 シン(高) 訓 つ	氵	さんずい	興味津津(きょうみしんしん)・津液(しんえき) 津波(つなみ)・津津浦浦(つつうらうら)
唇	音 シン(高) 訓 くちびる	口	くち	唇音(しんおん)・口唇(こうしん)・紅唇(こうしん) 下唇(したくちびる)・唇(くちびる)をかむ
迅	音 ジン 訓 —	辶	しんにょう しんにゅう	迅速(じんそく)・迅雷(じんらい)・迅急(じんきゅう)
甚	音 ジン(高) 訓 はなは(だ) はなは(だしい)	甘	かん あまい	甚大(じんだい)・激甚(げきじん)・幸甚(こうじん) 甚(はなは)だしい暑(あつ)さ
睡	音 スイ 訓 —	目	めへん	睡眠(すいみん)・睡魔(すいま)・一睡(いっすい)・熟睡(じゅくすい)
崇	音 スウ 訓 —	山	やま	崇高(すうこう)・崇拝(すうはい)・尊崇(そんすう)

POINT

「壌・醸・譲・嬢」、「謄・騰」、「憤・墳・噴」は同音で形が似ている。用例をチェック！

漢字	読み（音）	読み（訓）	部首	部首名	用例
槽	ソウ	—	木	きへん	浴槽(よくそう)・水槽(すいそう)・歯槽(しそう)
泰	タイ	—	氺	したみず	安泰(あんたい)・泰然(たいぜん)・泰平(たいへい)
釣	チョウ㊫	つ(る)	金	かねへん	釣果(ちょうか)・釣魚(ちょうぎょ) 魚釣(さかなつ)り・釣(つ)り合(あ)う
塚	—	つか	土	つちへん	貝塚(かいづか)・一里塚(いちりづか)・塚(つか)を築(きず)く
艇	テイ	—	舟	ふねへん	競艇(きょうてい)・艦艇(かんてい)・艇身(ていしん)
搭	トウ	—	扌	てへん	搭乗員(とうじょういん)・搭載(とうさい)
謄	トウ	—	言	げん	謄本(とうほん)・謄写版(とうしゃばん)
尼	ニ㊫	あま	尸	かばね しかばね	尼僧(にそう)・禅尼(ぜんに) 尼寺(あまでら)

漢字	読み（音）	読み（訓）	部首	部首名	用例
寧	ネイ	—	宀	うかんむり	安寧(あんねい)・丁寧(ていねい)・寧日(ねいじつ)
舶	ハク	—	舟	ふねへん	船舶(せんぱく)・舶来(はくらい)・舶載(はくさい)
漠	バク	—	氵	さんずい	広漠(こうばく)・空漠(くうばく)・漠然(ばくぜん)・砂漠(さばく)
鉢	ハチ ハツ㊫	—	金	かねへん	鉢合(はちあ)わせ・植木鉢(うえきばち)・衣鉢(いはつ)
妃	ヒ	—	女	おんなへん	王妃(おうひ)・妃殿下(ひでんか)・公妃(こうひ)
猫	ビョウ㊫	ねこ	犭	けものへん	愛猫(あいびょう) 猫背(ねこぜ)・猫舌(ねこじた)・三毛猫(みけねこ)
侮	ブ	あなど(る)㊫	亻	にんべん	軽侮(けいぶ)・侮辱(ぶじょく) 対戦相手(たいせんあいて)を侮(あなど)る
憤	フン	いきどお(る)㊫	忄	りっしんべん	憤然(ふんぜん)・憤慨(ふんがい)・発憤(はっぷん) 世(よ)の不正(ふせい)を憤(いきどお)る

配当漢字表②読み

目標時間 15分
合格ライン 34点
得点 ／48
月　日

●次の――線の**漢字の読み**を**ひらがな**で記せ。

1 囲碁は高尚な趣味だといわれる。
2 宵の明星が見える。
3 彼は退職勧奨を受けた。
4 過剰な投資が倒産を招いた。
5 汚染された土壌を除去する。
6 日本酒の醸造を行っている。
7 地震による津波の被害があった。
8 悔しくて唇をかみ締める。
9 残った仕事を迅速に片付けよう。
10 思い違いも甚だしい。

解答
1 こうしょう
2 よい
3 かんしょう
4 かじょう
5 どじょう
6 じょうぞう
7 つなみ
8 くちびる
9 じんそく
10 はなは

11 深夜になり、睡魔が忍び寄る。
12 崇高な理想を掲げる。
13 水槽で熱帯魚を飼う。
14 何事にも泰然として驚かない。
15 防波堤の突端で釣りをする。
16 目標への一里塚とする。
17 艦艇が港に集結した。
18 船にはレーダーを搭載している。
19 登記簿の謄本を取り寄せる。
20 尼寺で修行を積む。

解答
11 すいま
12 すうこう
13 すいそう
14 たいぜん
15 つ
16 いちりづか
17 かんてい
18 とうさい
19 とうほん
20 あまでら

21 社会の安寧を願う。
22 狭い運河を多くの船舶が往来する。
23 広漠とした原野が広がる。
24 山道でクマと鉢合わせした。
25 隣国から王妃を迎える。
26 寒さで猫背になって歩いた。
27 相手を侮辱するような態度をとる。
28 政治家の不正は憤慨に堪えない。
29 尚武の気風が残る城下町だ。
30 彼は宵っ張りの朝寝坊だ。
31 県の推奨図書を読む。
32 余剰人員を整理する。
33 おどけて下唇を突き出した。
34 迅雷がとどろいていた。

21 あんねい
22 せんぱく
23 こうばく
24 はちあ
25 おうひ
26 ねこぜ
27 ぶじょく
28 ふんがい
29 しょうぶ
30 よい
31 すいしょう
32 よじょう
33 したくちびる
34 じんらい

35 今回の結果は甚だ喜ばしいことだ。
36 彼はすっかり熟睡している。
37 話は漠としてつかみどころがない。
38 毎日、浴槽の掃除をする。
39 泰平の世を騒がす事件が起きた。
40 左右の重さを釣り合わせる。
41 三毛猫を飼っている。
42 吟醸酒の華やかな香りを楽しむ。
43 舶来の品をいただいた。
44 貝塚から石器が出土した。
45 漠然とした不安感に襲われる。
46 不実な人に軽侮の念を抱く。
47 大いに発憤して練習する。
48 昔は謄写版を使っていた。

35 はなは
36 じゅくすい
37 ばく
38 よくそう
39 たいへい
40 つ
41 みけねこ
42 ぎんじょう
43 はくらい
44 かいづか
45 ばくぜん
46 けいぶ
47 はっぷん
48 とうしゃばん

B ランク

配当漢字表③

漢字	読み（音）	読み（訓）	部首	部首名	用例
浦	―	うら	氵	さんずい	浦伝い（うらづたい）・浦里（うらざと）・浦風（うらかぜ）
堀	―	ほり	土	つちへん	堀（ほり）を巡（めぐ）らす・内堀（うちぼり）・堀端（ほりばた）
奔	ホン	―	大	だい	奔走（ほんそう）・奔放（ほんぽう）・狂奔（きょうほん）
磨	マ	みが(く)	石	いし	磨耗（まもう）・研磨（けんま）・百戦錬磨（ひゃくせんれんま）　床（ゆか）を磨（みが）く
岬	―	みさき	山	やまへん	岬（みさき）に上陸（じょうりく）する
盲	モウ	―	目	め	盲導犬（もうどうけん）・盲従（もうじゅう）・盲点（もうてん）
耗	モウ コウ㊥	―	耒	すきへん らいすき	摩（磨）耗（まもう）・消耗（しょうもう）・心神耗弱（しんしんこうじゃく）
寮	リョウ	―	宀	うかんむり	入寮（にゅうりょう）・寮母（りょうぼ）・寮生（りょうせい）
累	ルイ	―	糸	いと	係累（けいるい）・累積（るいせき）・累計（るいけい）
鈴	レイ リン	すず	金	かねへん	予鈴（よれい）・風鈴（ふうりん）　鈴虫（すずむし）
姻	イン	―	女	おんなへん	婚姻（こんいん）・姻族（いんぞく）
謁	エツ	―	言	ごんべん	拝謁（はいえつ）・謁見（えっけん）・内謁（ないえつ）

POINT

「奔」「磨」「耗」「累」「碁」は部首の問題で出題されやすいのでチェック！

漢字	読み	部首	部首名	用例
懐	音 カイ 訓 ふところ高・なつ(かしい)高・なつ(かしむ)高・なつ(く)高・なつ(ける)高	忄	りっしんべん	懐石(かいせき)・懐柔(かいじゅう)・懐古(かいこ)・述懐(じゅっかい)・懐中(かいちゅう)／懐刀(ふところがたな)・猫(ねこ)が懐(なつ)く
涯	音 ガイ 訓 ―	氵	さんずい	境涯(きょうがい)・生涯(しょうがい)・天涯(てんがい)
核	音 カク 訓 ―	木	きへん	核心(かくしん)・結核(けっかく)・中核(ちゅうかく)
嚇	音 カク 訓 ―	口	くちへん	威嚇(いかく)・脅嚇(きょうかく)
喝	音 カツ 訓 ―	口	くちへん	喝破(かっぱ)・一喝(いっかつ)・恐喝(きょうかつ)
憾	音 カン 訓 ―	忄	りっしんべん	遺憾(いかん)
宜	音 ギ 訓 ―	宀	うかんむり	適宜(てきぎ)・時宜(じぎ)
隅	音 グウ 訓 すみ	阝	こざとへん	一隅(いちぐう)・片隅(かたすみ)・隅隅(すみずみ)

漢字	読み	部首	部首名	用例
謙	音 ケン 訓 ―	言	ごんべん	謙譲(けんじょう)・謙虚(けんきょ)・恭謙(きょうけん)
弦	音 ゲン 訓 つる高	弓	ゆみへん	管弦楽(かんげんがく)・下弦(かげん)・弦月(げんげつ)・弦(つる)を離(はな)れた矢(や)
碁	音 ゴ 訓 ―	石	いし	囲碁(いご)・碁石(ごいし)・碁盤(ごばん)
江	音 コウ 訓 え	氵	さんずい	長江(ちょうこう)・江南(こうなん)・江湖(こうこ)・江戸(えど)・入り江(え)
貢	音 コウ・ク高 訓 みつ(ぐ)高	貝	かい こがい	貢献(こうけん)・貢租(こうそ)・朝貢(ちょうこう)・年貢(ねんぐ)・貢(みつ)ぎ物(もの)
購	音 コウ 訓 ―	貝	かいへん	購読(こうどく)・購入(こうにゅう)・購買(こうばい)
唆	音 サ 訓 そそのか(す)高	口	くちへん	教唆(きょうさ)・示唆(しさ)・悪事(あくじ)を唆(そそのか)す
賜	音 シ高 訓 たまわ(る)	貝	かいへん	賜杯(しはい)・恩賜(おんし)・表彰状(ひょうしょうじょう)を賜(たまわ)る

配当漢字表③読み

目標時間 15分

合格ライン 34点

● 次の——線の**漢字の読み**を**ひらがな**で記せ。

1 浦風を受けながら釣りをする。
2 城の周りに堀を巡らす。
3 彼は自由奔放な性格だ。
4 米ぬかを使って廊下を磨く。
5 岬の先端まで行ってみよう。
6 師匠の言うことに盲従する。
7 摩耗した部品を交換した。
8 寮母として住み込みで働く。
9 累積赤字を解消する。
10 どこかで鈴虫が鳴いている。

解答

1 うらかぜ
2 ほり
3 ほんぽう
4 みが
5 みさき
6 もうじゅう
7 まもう
8 りょうぼ
9 るいせき
10 すずむし

11 婚姻届を提出する。
12 使節団は皇帝に拝謁した。
13 戦争の体験を述懐した。
14 不幸な境涯と言わざるを得ない。
15 議論が核心に触れる。
16 野生動物が威嚇行動に出る。
17 甘えん坊の私を父は一喝した。
18 そのことは遺憾に思っている。
19 定刻になったら適宜解散せよ。
20 都会の片隅に暮らす。

解答

11 こんいん
12 はいえつ
13 じゅっかい
14 きょうがい
15 かくしん
16 いかく
17 いっかつ
18 いかん
19 てきぎ
20 かたすみ

21 謙譲の心を忘れないようにする。
22 夜空に上弦の月がかかる。
23 父は囲碁が唯一の趣味だ。
24 江戸に幕府が開かれた。
25 勝利に貢献した選手をたたえる。
26 月刊誌を購読している。
27 示唆に富んだ先輩の意見をきく。
28 大臣より祝辞を賜る。
29 金もうけに狂奔した。
30 彼は百戦錬磨のつわものだ。
31 神経の消耗する会議だった。
32 係累が多くて大変だ。
33 風鈴は夏の風物詩だ。
34 王に謁見を許される。

21 けんじょう
22 じょうげん
23 いご
24 えど
25 こうけん
26 こうどく
27 しさ（じさ）
28 たまわ
29 きょうほん
30 れんま
31 しょうもう
32 けいるい
33 ふうりん
34 えっけん

35 反対派を抱き込む懐柔策を練る。
36 身寄りのない天涯孤独の身だ。
37 推進運動の中核として活躍する。
38 従来の説の矛盾点を喝破する。
39 時宜を得た措置をとる。
40 彼の歌は時代の一隅を照らしていた。
41 年配者に恭謙の念をもって接する。
42 管弦楽のすばらしい演奏を聴く。
43 著書が広く江湖に知れ渡る。
44 犯人を捜して奔走した。
45 犯罪を教唆した罪で逮捕された。
46 新しい碁盤で対局した。
47 開演五分前の予鈴が鳴った。
48 災害に備えて懐中電灯を買う。

35 かいじゅう
36 てんがい
37 ちゅうかく
38 かっぱ
39 じぎ
40 いちぐう
41 きょうけん
42 かんげんがく
43 こうこ
44 ほんそう
45 きょうさ
46 ごばん
47 よれい
48 かいちゅう

配当漢字表④

漢字	読み	部首	部首名	用例
酬	音 シュウ 訓 ―	酉	とりへん	応酬(おうしゅう)・報酬(ほうしゅう)・献酬(けんしゅう)
祥	音 ショウ 訓 ―	礻	しめすへん	発祥(はっしょう)・不祥事(ふしょうじ)・祥月(しょうつき)
粧	音 ショウ 訓 ―	米	こめへん	化粧(けしょう)・美粧(びしょう)
彰	音 ショウ 訓 ―	彡	さんづくり	表彰(ひょうしょう)・顕彰(けんしょう)・彰功(しょうこう)
紳	音 シン 訓 ―	糸	いとへん	紳士(しんし)・紳商(しんしょう)
栓	音 セン 訓 ―	木	きへん	耳栓(みみせん)・消火栓(しょうかせん)・血栓(けっせん)

漢字	読み	部首	部首名	用例
践	音 セン 訓 ―	𧾷	あしへん	実践(じっせん)・履践(りせん)
繊	音 セン 訓 ―	糸	いとへん	食物繊維(しょくもつせんい)・繊細(せんさい)・繊毛(せんもう)
荘	音 ソウ 訓 ―	艹	くさかんむり	別荘(べっそう)・荘重(そうちょう)・荘厳(そうごん)
妥	音 ダ 訓 ―	女	おんな	妥当(だとう)・妥協(だきょう)・妥結(だけつ)
痴	音 チ 訓 ―	疒	やまいだれ	愚痴(ぐち)・音痴(おんち)・痴情(ちじょう)・白痴(はくち)
逓	音 テイ 訓 ―	辶	しんにょう しんにゅう	逓減(ていげん)・逓増(ていぞう)・逓信(ていしん)

POINT

「裕」の部首は、しめすへんではなく、ころもへん。ほかに「襟・被・褐・裸・複」などがある。要注意！

漢字	読み（音）	読み（訓）	部首	部首名	用例
迭	テツ	—	辶	しんにょう・しんにゅう	更迭（こうてつ）
洞	ドウ	ほら	氵	さんずい	洞察力（どうさつりょく）・空洞（くうどう） 木の洞（きのほら）
屯	トン	—	屮	てつ	駐屯（ちゅうとん）・屯田兵（とんでんへい）・屯所（とんしょ）
妊	ニン	—	女	おんなへん	妊娠（にんしん）・妊婦（にんぷ）・懐妊（かいにん）
伯	ハク	—	亻	にんべん	伯仲（はくちゅう）・画伯（がはく）・伯爵（はくしゃく） 伯父（おじ・はくふ）・伯母（おば・はくぼ）
罷	ヒ	—	罒	あみがしら・あみめ・よこめ	罷業（ひぎょう）・罷免（ひめん）
雰	フン	—	雨	あめかんむり	雰囲気（ふんいき）

漢字	読み（音）	読み（訓）	部首	部首名	用例
塀	ヘイ	—	土	つちへん	板塀（いたべい）・土塀（どべい）
俸	ホウ	—	亻	にんべん	減俸（げんぽう）・年俸（ねんぽう）・俸給（ほうきゅう）
撲	ボク	—	扌	てへん	打撲（だぼく）・撲殺（ぼくさつ）・撲滅（ぼくめつ） 相撲（すもう）
裕	ユウ	—	衤	ころもへん	裕福（ゆうふく）・富裕（ふゆう）・余裕（よゆう）
酪	ラク	—	酉	とりへん	酪農（らくのう）・牛酪（ぎゅうらく）・乳酪（にゅうらく）
僚	リョウ	—	亻	にんべん	官僚（かんりょう）・閣僚（かくりょう）・同僚（どうりょう）
韻	イン	—	音	おと	余韻（よいん）・韻律（いんりつ）・韻文（いんぶん）

配当漢字表④読み

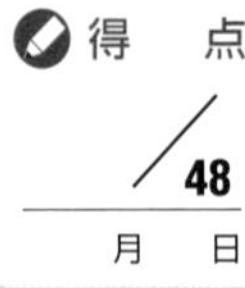

目標時間 15分

合格ライン 34点

得点 ／48

月 日

● 次の――線の**漢字の読み**を**ひらがな**で記せ。

1 仕事の報酬を受け取る。
2 古代文明発祥の地である。
3 新しい化粧回しで土俵入りをする。
4 表彰状を額に入れて飾る。
5 彼は最後まで紳士的だった。
6 水泳のときに耳栓をする。
7 理論を実践に移す。
8 食物繊維の多い野菜を食べる。
9 毎年、夏は避暑のため別荘へ行く。
10 妥当な判決が下る。

解答
1 ほうしゅう
2 はっしょう
3 けしょう
4 ひょうしょう
5 しんし
6 みみせん
7 じっせん
8 せんい
9 べっそう
10 だとう

11 方向音痴なので道に迷った。
12 人口が減り、税収が逓減する。
13 成績不振で監督が更迭された。
14 鋭い洞察力で時代を分析する。
15 国内に米軍が駐屯している。
16 電車内で妊婦に席を譲る。
17 高名な画伯の絵を所蔵する。
18 大臣の罷免を要求する。
19 この喫茶店は雰囲気がよい。
20 板塀に囲まれた下町の家に住む。

解答
11 おんち
12 ていげん
13 こうてつ
14 どうさつ
15 ちゅうとん
16 にんぷ
17 がはく
18 ひめん
19 ふんいき
20 いたべい

21 公務員の俸給が引き上げられる。
22 害虫を撲滅するのは難しい。
23 裕福な家庭で育った。
24 酪農家の牧場を訪ねる。
25 関係閣僚が緊急に招集された。
26 映画の余韻に浸る。
27 激しい意見の応酬が続いた。
28 何度も不祥事を起こす。
29 顕彰碑が建てられた。
30 消火栓の位置を確認する。
31 繊細な神経の持ち主だ。
32 荘重なたたずまいの本堂が見える。
33 賃上げの回答を得て妥結した。
34 酒の席で愚痴をこぼす。

21 ほうきゅう
22 ぼくめつ
23 ゆうふく
24 らくのう
25 かくりょう
26 よいん
27 おうしゅう
28 ふしょうじ
29 けんしょう
30 しょうかせん
31 せんさい
32 そうちょう
33 だけつ
34 ぐち

35 鳥が木の洞に巣を作った。
36 屯田兵として北海道に渡った。
37 懐妊の知らせに喜んだ。
38 二人の実力は伯仲している。
39 労働者には罷業権が認められている。
40 土塀の周りに堀を巡らせた。
41 服務規程を破り減俸に処せられた。
42 升席で相撲を観戦する。
43 彼は富裕な銀行家の家に生まれた。
44 かけがえのない同僚を失った。
45 美しい韻律を持つ詩だ。
46 交渉の場でも一切妥協しなかった。
47 活躍が認められ年俸が上がった。
48 時間に余裕がなく、気がせく。

35 ほら
36 とんでんへい
37 かいにん
38 はくちゅう
39 ひぎょう
40 どべい
41 げんぽう
42 すもう
43 ふゆう
44 どうりょう
45 いんりつ
46 だきょう
47 ねんぽう
48 よゆう

Cランク

配当漢字表①

漢字	音	訓	部首	部首名	用例
恭	キョウ	うやうや(しい)㊒	㣺	したごころ	恭順(きょうじゅん)・恭賀(きょうが)・温恭(おんきょう) 恭(うやうや)しく受(う)け取(と)る
侯	コウ	—	亻	にんべん	王侯(おうこう)・侯爵(こうしゃく)・諸侯(しょこう)
洪	コウ	—	氵	さんずい	洪水(こうずい)・洪積層(こうせきそう)・洪恩(こうおん)
詐	サ	—	言	ごんべん	詐称(さしょう)・詐欺(さぎ)・詐取(さしゅ)
斎	サイ	—	斉	せい	書斎(しょさい)・斎場(さいじょう)・潔斎(けっさい)
桟	サン	—	木	きへん	桟道(さんどう)・桟橋(さんばし)

漢字	音	訓	部首	部首名	用例
肢	シ	—	月	にくづき	肢体(したい)・四肢(しし)・下肢(かし)
蛇	ジャ ダ	へび	虫	むしへん	大蛇(だいじゃ)・蛇行(だこう)・長蛇(ちょうだ) 蛇(じゃ)の道(みち)は蛇(へび)
抄	ショウ	—	扌	てへん	抄訳(しょうやく)・抄本(しょうほん)・抄写(しょうしゃ)
渉	ショウ	—	氵	さんずい	干渉(かんしょう)・交渉(こうしょう)・渉外(しょうがい)
霜	ソウ㊒	しも	雨	あめかんむり	霜髪(そうはつ)・星霜(せいそう) 霜柱(しもばしら)・初霜(はつしも)
秩	チツ	—	禾	のぎへん	秩序(ちつじょ)・官秩(かんちつ)

POINT

「幣」は、「弊」と同音で形もよく似ている。「貨幣」、「弊害・弊社」などの用例と共に覚えておこう。

漢字	読み（音）	読み（訓）	部首	部首名	用例
漬	—	つ(ける) つ(かる)	氵	さんずい	漬（つ）け物（もの）・茶漬（ちゃづ）け
偵	テイ	—	亻	にんべん	密偵（みってい）・内偵（ないてい）・偵察（ていさつ）
泥	デイ㊢	どろ	氵	さんずい	泥酔（でいすい）・雲泥（うんでい）・拘泥（こうでい）・泥沼（どろぬま）・泥棒（どろぼう）・泥縄（どろなわ）
賠	バイ	—	貝	かいへん	賠償（ばいしょう）
瓶	ビン	—	瓦	かわら	花瓶（かびん）・土瓶（どびん）・鉄瓶（てつびん）
扶	フ	—	扌	てへん	扶助（ふじょ）・扶養（ふよう）・家扶（かふ）
幣	ヘイ	—	巾	はば	造幣局（ぞうへいきょく）・紙幣（しへい）・貨幣（かへい）

漢字	読み（音）	読み（訓）	部首	部首名	用例
厄	ヤク	—	厂	がんだれ	厄年（やくどし）・厄介（やっかい）・災厄（さいやく）
亜	ア	—	二	に	亜流（ありゅう）・亜熱帯（あねったい）・亜鉛（あえん）
虞	—	おそれ	虍	とらがしら とらかんむり	大雨（おおあめ）の虞（おそれ）がある
蚊	—	か	虫	むしへん	蚊取（かと）り線香（せんこう）・蚊柱（かばしら）
拐	カイ	—	扌	てへん	誘拐（ゆうかい）・拐帯（かいたい）
劾	ガイ	—	力	ちから	弾劾（だんがい）
缶	カン	—	缶	ほとぎ	缶詰（かんづめ）・缶（かん）ジュース

C ランク

配当漢字表①読み

目標時間 15分

合格ライン 34点

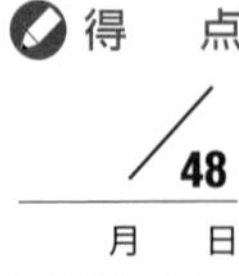

● 次の━━線の**漢字の読み**を**ひらがな**で記せ。

1 主君に恭順の意を表す。
2 王侯貴族のような生活をしている。
3 人々が洪水のように押し寄せる。
4 学歴を詐称して就職する。
5 書斎にこもって執筆する。
6 障子の桟にほこりがたまる。
7 伸びやかに肢体が躍動する。
8 蛇ににらまれたカエルのようだ。
9 戸籍抄本を取り寄せる。
10 粘り強く交渉を続ける。

解答
1 きょうじゅん
2 おうこう
3 こうずい
4 さしょう
5 しょさい
6 さん
7 したい
8 へび
9 しょうほん
10 こうしょう

11 庭いっぱいに霜柱が立つ。
12 秩序立った考え方をする。
13 ナスやキュウリを漬ける。
14 偵察飛行に飛び立つ。
15 泥沼の離婚訴訟になる。
16 事故の賠償金を払う。
17 素焼きの花瓶には味わいがある。
18 夫の扶養家族になる。
19 兄は造幣局に勤務している。
20 数えで四十二歳は男の厄年だ。

解答
11 しもばしら
12 ちつじょ
13 つ
14 ていさつ
15 どろぬま
16 ばいしょう
17 かびん
18 ふよう
19 ぞうへいきょく
20 やくどし

21 有名な画家の亜流にすぎない。
22 感染症が広がる虞がある。
23 蚊の鳴くような声で返事をする。
24 指名手配された誘拐犯が捕まる。
25 裁判官を弾劾する。
26 輸入品の缶詰を買う。
27 酒の締めに茶漬けを食べた。
28 鉄瓶で湯をわかす。
29 長老に恭しく頭を下げる。
30 巧妙な詐欺にひっかかる。
31 斎場で葬儀が行われる。
32 桟橋に船を横付けする。
33 転んでズボンに泥がついた。
34 夏の夕暮れ時に蚊柱が立つ。

21 ありゅう
22 おそれ
23 か
24 ゆうかい
25 だんがい
26 かんづめ
27 ちゃづ
28 てつびん
29 うやうや
30 さぎ
31 さいじょう
32 さんばし
33 どろ
34 かばしら

35 事故で下肢を負傷する。
36 蛇行運転は事故のもとである。
37 長編小説を抄訳する。
38 渉外担当者に話をする。
39 今朝は初霜が降りた。
40 不正取引を疑い、内偵を始める。
41 侯爵の子孫を訪ねる。
42 会員相互の扶助に努める。
43 貨幣価値が下がる。
44 予想もしなかった災厄に襲われた。
45 亜鉛で鉄板にめっきをする。
46 公金を拐帯したとの嫌疑がかかる。
47 鬼が出るか蛇が出るか
48 仏事の前に潔斎する。

35 かし
36 だこう
37 しょうやく
38 しょうがい
39 はつしも
40 ないてい
41 こうしゃく
42 ふじょ
43 かへい
44 さいやく
45 あえん
46 かいたい
47 じゃ
48 けっさい

配当漢字表②

漢字	読み	部首	部首名	用例
暁	音 ギョウ㊛ 訓 あかつき	日	ひへん	暁天（ぎょうてん）・今暁（こんぎょう）・通暁（つうぎょう） 暁（あかつき）の空（そら）
呉	音 ゴ 訓 ―	口	くち	呉服（ごふく）・呉音（ごおん）
栽	音 サイ 訓 ―	木	き	盆栽（ぼんさい）・植栽（しょくさい）・栽培（さいばい）
殉	音 ジュン 訓 ―	歹	かばねへん いちたへん がつへん	殉職（じゅんしょく）・殉死（じゅんし）・殉難（じゅんなん）
循	音 ジュン 訓 ―	彳	ぎょうにんべん	因循（いんじゅん）・循環（じゅんかん）
庶	音 ショ 訓 ―	广	まだれ	庶民（しょみん）・庶務（しょむ）・庶子（しょし）

漢字	読み	部首	部首名	用例
帥	音 スイ 訓 ―	巾	はば	総帥（そうすい）・統帥（とうすい）・元帥（げんすい）
窃	音 セツ 訓 ―	穴	あなかんむり	窃盗（せっとう）・窃取（せっしゅ）
租	音 ソ 訓 ―	禾	のぎへん	租税（そぜい）・地租（ちそ）・租借地（そしゃくち）
塑	音 ソ 訓 ―	土	つち	塑像（そぞう）・彫塑（ちょうそ）・可塑性（かそせい）
藻	音 ソウ 訓 も	艹	くさかんむり	海藻（かいそう）・藻類（そうるい） 藻塩（もしお）
勅	音 チョク 訓 ―	力	ちから	勅願（ちょくがん）・勅命（ちょくめい）・奉勅（ほうちょく）・勅使（ちょくし）

POINT

「虜」と「慮」は同音で形も似ている。誤字訂正の問題でも出題されやすいので注意しよう！

漢字	読み	部首	部首名	用例
培	音 バイ 訓 つちか(う)㊢	土	つちへん	栽培(さいばい)・培養(ばいよう)・学力(がくりょく)を培(つちか)う
披	音 ヒ 訓 ―	扌	てへん	披見(ひけん)・披露(ひろう)・披覧(ひらん)
紡	音 ボウ 訓 つむ(ぐ)㊢	糸	いとへん	混紡(こんぼう)・紡績(ぼうせき)・糸(いと)を紡(つむ)ぐ
僕	音 ボク 訓 ―	亻	にんべん	公僕(こうぼく)・下僕(げぼく)・僕従(ぼくじゅう)
唯	音 ユイ イ㊢ 訓 ―	口	くちへん	唯物論(ゆいぶつろん)・唯心論(ゆいしんろん)・唯一(ゆいいつ)・唯唯諾諾(いいだくだく)
猶	音 ユウ 訓 ―	犭	けものへん	猶予(ゆうよ)
痢	音 リ 訓 ―	疒	やまいだれ	下痢(げり)・痢病(りびょう)・赤痢(せきり)・疫痢(えきり)

漢字	読み	部首	部首名	用例
硫	音 リュウ 訓 ―	石	いしへん	硫酸(りゅうさん)・硫安(りゅうあん)・硫化水素(りゅうかすいそ)
虜	音 リョ 訓 ―	虍	とらがしら とらかんむり	捕虜(ほりょ)・虜囚(りょしゅう)
塁	音 ルイ 訓 ―	土	つち	孤塁(こるい)・塁壁(るいへき)・塁審(るいしん)
尉	音 イ 訓 ―	寸	すん	大尉(たいい)・尉官(いかん)
凹	音 オウ 訓 ―	凵	うけばこ	凹凸(おうとつ)・凹面鏡(おうめんきょう)・凸凹(でこぼこ)
翁	音 オウ 訓 ―	羽	はね	老翁(ろうおう)
薫	音 クン㊢ 訓 かお(る)	艹	くさかんむり	薫陶(くんとう)・薫化(くんか)・余薫(よくん)・風薫(かぜかお)る

配当漢字表②読み

目標時間 15分

合格ライン 34点

得点 ／48 月 日

● 次の——線の**漢字の読み**を**ひらがな**で記せ。

1 紅に染まる暁の空を見る。
2 デパートの呉服売り場で働く。
3 盆栽の手入れをする。
4 暴動で警官が一人殉職した。
5 血液の循環をよくする。
6 気さくで庶民的な人柄が好かれる。
7 財閥の総帥として君臨した。
8 窃盗容疑で書類送検した。
9 かつて英国の租借地だった。
10 アトリエに塑像が置かれている。

解答

1 あかつき
2 ごふく
3 ぼんさい
4 じゅんしょく
5 じゅんかん
6 しょみん
7 そうすい
8 せっとう
9 そしゃく
10 そぞう

11 海藻はミネラルに富む。
12 勅使を派遣して文書を届ける。
13 有機栽培の野菜を販売する。
14 私も隠し芸を披露しよう。
15 紡績工場に勤めている。
16 公僕としての立場を自覚する。
17 マルクスの唯物史観を解説する。
18 一刻の猶予もならない。
19 食あたりで下痢になる。
20 硫酸の扱いを慎重にする。

解答

11 かいそう
12 ちょくし
13 さいばい
14 ひろう
15 ぼうせき
16 こうぼく
17 ゆいぶつ
18 ゆうよ
19 げり
20 りゅうさん

21 多くの捕虜が強制労働をさせられた。
22 塁審の判定に抗議をする。
23 死後、海軍大尉に二階級特進した。
24 凸凹道をバスが走る。
25 かつて芭蕉翁が住んでいた土地だ。
26 風薫る五月となった。
27 可塑性に富む合成樹脂を使う。
28 トマトの苗を植栽した。
29 会社の庶務課で働いている。
30 池に大量発生した藻を除去する。
31 軍隊の尉官として着任する。
32 キリシタン殉難の地を訪れる。
33 彼の因循なところは嫌いだ。
34 有名な作家の庶子として生まれた。

21 ほりょ
22 るいしん
23 たいい
24 でこぼこ
25 おう
26 かお
27 かそせい
28 しょくさい
29 しょむ
30 も
31 いかん
32 じゅんなん
33 いんじゅん
34 しょし

35 軍人の最高位は元帥である。
36 明治時代に地租改正が行われた。
37 若手芸術家の彫塑展が開催された。
38 藻塩の製法を復活させる。
39 勅願によって建てられた寺院だ。
40 シャーレで菌を培養する。
41 書類を披見する。
42 混紡のセーターを着る。
43 唯一の幹線道路を車で走る。
44 疫痢は死亡率が高い感染症だった。
45 敵軍に捕らえられて虜囚となる。
46 城の高い塁壁をよじ登る。
47 凹凸のある壁紙をはる。
48 銀髪のみごとな老翁だった。

35 げんすい
36 ちそ
37 ちょうそ
38 もしお
39 ちょくがん
40 ばいよう
41 ひけん
42 こんぼう
43 ゆいいつ（ゆいいち）
44 えきり
45 りょしゅう
46 るいへき
47 おうとつ
48 ろうおう

C ランク

配当漢字表③

漢字	読み	部首	部首名	用例
棺	音 カン 訓 ―	木	きへん	出棺（しゅっかん）・納棺（のうかん）・石棺（せっかん／せきかん）
矯	音 キョウ 訓 た(める)㊕	矢	やへん	矯正（きょうせい）・矯風（きょうふう）・奇矯（ききょう） 癖（くせ）を矯（た）める
拷	音 ゴウ 訓 ―	扌	てへん	拷問（ごうもん）
昆	音 コン 訓 ―	日	ひ	昆弟（こんてい）・昆虫（こんちゅう）・昆布（こんぶ）
嗣	音 シ 訓 ―	口	くち	嗣子（しし）・継嗣（けいし）・嫡嗣（ちゃくし）
璽	音 ジ 訓 ―	玉	たま	国璽（こくじ）・玉璽（ぎょくじ）・印璽（いんじ）・御璽（ぎょじ）

漢字	読み	部首	部首名	用例
儒	音 ジュ 訓 ―	亻	にんべん	儒教（じゅきょう）・儒学（じゅがく）・儒家（じゅか）
囚	音 シュウ 訓 ―	囗	くにがまえ	囚人（しゅうじん）・幽囚（ゆうしゅう）・未決囚（みけつしゅう）
訟	音 ショウ 訓 ―	言	ごんべん	訴訟（そしょう）・争訟（そうしょう）
硝	音 ショウ 訓 ―	石	いしへん	硝酸（しょうさん）・硝石（しょうせき）・硝煙（しょうえん）
詔	音 ショウ 訓 みことのり㊕	言	ごんべん	詔書（しょうしょ）・詔勅（しょうちょく）・恩詔（おんしょう） 国分寺（こくぶんじ）建立（こんりゅう）の詔（みことのり）
娠	音 シン 訓 ―	女	おんなへん	妊娠（にんしん）

POINT

「嗣」の部首は「口（くち）」、「凸」の部首は「凵（うけばこ）」であることに注意しよう！

漢字	読み（音）	読み（訓）	部首	部首名	用例
畝	—	うね	田	た	畝織（うねおり）・畝（うね）を作（つく）る
仙	セン	—	亻	にんべん	仙境（せんきょう）・画仙（がせん）・仙人（せんにん）
曹	ソウ	—	日	ひらび いわく	法曹界（ほうそうかい）・重曹（じゅうそう）・軍曹（ぐんそう）
濯	タク	—	氵	さんずい	洗濯（せんたく）
嫡	チャク	—	女	おんなへん	嫡子（ちゃくし）・嫡男（ちゃくなん）・廃嫡（はいちゃく）
朕	チン	—	月	つきへん	朕（ちん）は国家（こっか）なり
亭	テイ	—	亠	なべぶた けいさんかんむり	亭主（ていしゅ）・料亭（りょうてい）・駅亭（えきてい）

漢字	読み（音）	読み（訓）	部首	部首名	用例
貞	テイ	—	貝	かい こがい	貞淑（ていしゅく）・貞節（ていせつ）・不貞（ふてい）
凸	トツ	—	凵	うけばこ	凸（とつ）レンズ・凸版（とっぱん）・凹凸（おうとつ）・凸凹（でこぼこ）
附	フ	—	阝	こざとへん	附属（ふぞく）・寄附（きふ）・附和雷同（ふわらいどう）
丙	ヘイ	—	一	いち	丙種（へいしゅ）・甲乙丙丁（こうおつへいてい）
妄	モウ ボウ（高）	—	女	おんな	迷妄（めいもう）・妄想（もうそう）・妄執（もうしゅう）・妄動（もうどう／ぼうどう）・妄言（もうげん／ぼうげん）
褐	カツ	—	衤	ころもへん	褐色（かっしょく）・褐炭（かったん）
塾	ジュク	—	土	つち	私塾（しじゅく）・塾生（じゅくせい）・塾舎（じゅくしゃ）

配当漢字表③読み

得点 ／48
月 日

●次の――線の**漢字の読み**を**ひらがな**で記せ。

1 手を合わせて出棺を見送る。
2 歯並びを矯正する。
3 非道な拷問を受ける。
4 趣味の昆虫採集に励む。
5 嗣子とは跡取りのことである。
6 御璽は天皇の印章である。
7 儒学に影響を受ける。
8 刑務所に囚人を護送する。
9 法的判断を求めて訴訟を起こす。
10 銃声が聞こえ硝煙が上がった。

解答
1 しゅっかん
2 きょうせい
3 ごうもん
4 こんちゅう
5 しし
6 ぎょじ
7 じゅがく
8 しゅうじん
9 そしょう
10 しょうえん

11 天皇の詔勅が下る。
12 妊娠中も軽い運動が必要だ。
13 畑に畝を作って種をまく。
14 まるで仙境に遊ぶかのようだ。
15 ゆくゆくは法曹界に進むつもりだ。
16 今日は絶好の洗濯日和だ。
17 代々続く名家の嫡子として生まれた。
18 朕とは天子の自称である。
19 料亭を切り盛りする。
20 貞淑を重んじる教育を受ける。

解答
11 しょうちょく
12 にんしん
13 うね
14 せんきょう
15 ほうそうかい
16 せんたく
17 ちゃくし
18 ちん
19 りょうてい
20 ていしゅく

21 昔は凸版印刷がほとんどだった。
22 教育大学附属の小学校に通う。
23 成績を甲・乙・丙で表す。
24 世間の迷妄を打破すべきだ。
25 褐色の毛皮をまとっている。
26 リーダーを育成する私塾を開く。
27 納棺の儀を執り行う。
28 あまりの奇矯な振る舞いに驚く。
29 昆布でだしを取る。
30 継嗣となるべき子をもうける。
31 天皇の詔書が発せられる。
32 幽囚の身となった。
33 損害賠償を求めて争訟に持ち込む。
34 硝石を多く産出する土地だ。

21 とっぱん
22 ふぞく
23 へい
24 めいもう
25 かっしょく
26 しじゅく
27 のうかん
28 ききょう
29 こんぶ
30 けいし
31 しょうしょ
32 ゆうしゅう
33 そうしょう
34 しょうせき

35 外交文書に国璽が押される。
36 画仙と呼ばれた芸術家だ。
37 重曹を使って家の掃除をする。
38 温泉旅館の亭主に見送られる。
39 凸レンズで光を集める。
40 附和雷同せずに自分の意見を言う。
41 妄執に取りつかれていた。
42 嫡男の誕生を喜ぶ。
43 同じ志を持つ塾生が集う。
44 矯風を熱心に説く。
45 儒教の教えを学んだ。
46 硝酸は金属を溶かす。
47 多額の寄附金を納めた。
48 角を矯めて牛を殺す

35 こくじ
36 がせん
37 じゅうそう
38 ていしゅ
39 とつ
40 ふわらいどう
41 もうしゅう
42 ちゃくなん
43 じゅくせい
44 きょうふう
45 じゅきょう
46 しょうさん
47 きふ
48 た

配当漢字以外の読み

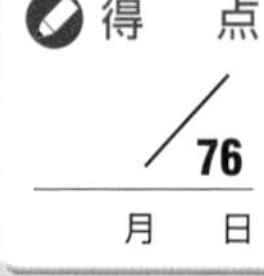

● 次の――線の**漢字の読み**を**ひらがな**で記せ。

1 内容の一部を割愛する。
2 ツバメが空高く飛び交っている。
3 彼は尊敬に値しない人間だ。
4 リンゴの傷んだ部分を捨てる。
5 この一年で著しい成長を遂げた。
6 優秀な外科医に手術を頼んだ。
7 情報が多すぎて収拾がつかない。
8 記憶を手繰り寄せて話す。
9 娘の縁談が調った。
10 顔を背けて泣いた。

解答

1 かつあい
2 か
3 あたい
4 いた
5 いちじる
6 げか
7 しゅうしゅう
8 たぐ
9 ととの
10 そむ

11 不安な面持ちで病院へ急いだ。
12 厳かに式典は執り行われた。
13 操り人形を巧みに動かす。
14 取引先からの仕事の依頼を承る。
15 熟れたトマトは甘みがある。
16 犯した罪の大きさに気付く。
17 選挙で辛うじて過半数をとった。
18 蔵造りの町並みを保存する。
19 彼のおかげでとんだ迷惑を被った。
20 子供たちのために時間を割く。

解答

11 おもも
12 おごそ
13 あやつ
14 うけたまわ
15 う
16 おか
17 かろ
18 くら
19 こうむ
20 さ

21 意味が若干違うがよしとしよう。
22 平均寿命は女性の方が長い。
23 重要な書類を焼却処分にした。
24 貸借対照表の作り方を教わる。
25 弱小チームに助太刀に入る。
26 美しい反物を織り上げた。
27 母の姿を血眼になって捜した。
28 友人に仲介の労をとってもらった。
29 作戦は失敗の気配が濃厚になった。
30 夕日に映えて峰々は赤く染まった。
31 波止場に立って船を待つ。
32 草原全体に炎は燃え広がった。
33 無様な姿をさらしてしまった。
34 その日は専ら仕事をしています。

21 じゃっかん
22 じゅみょう
23 しょうきゃく
24 たいしゃく
25 すけだち
26 たんもの
27 ちまなこ
28 ちゅうかい
29 のうこう
30 は
31 はとば
32 ほのお
33 ぶざま
34 もっぱ

35 八重歯を抜くことにした。
36 社長は批判の矢面に立たされた。
37 大和なでしことは彼女のことだ。
38 いつまでもくよくよと気に病む。
39 選手は見事な技を披露した。
40 自らの中に克己心を育てる。
41 経験者を厚遇で迎える。
42 固い握手を交わした。
43 友を欺く行為は許せない。
44 氏神様の祭りはいつもにぎやかだ。
45 浮ついた気分で試験に臨むな。
46 闘牛士の雄雄しい姿に魅せられる。
47 学問を究める道に進む。
48 まず己を知ることから始めよ。

35 やえば
36 やおもて
37 やまと
38 や
39 わざ
40 こっきしん
41 こうぐう
42 か
43 あざむ
44 うじがみ
45 うわ
46 おお
47 きわ
48 おのれ

A 配当漢字以外の読み

49 紙一重の差で入賞を逃した。
50 為替相場が変動する。
51 ユークリッド幾何学を学ぶ。
52 弓道の試合に出場する。
53 口幅ったい言い方だった。
54 親友の温かな言葉に感泣した。
55 心地よい調べにいやされた。
56 この小説はとても面白い。
57 母は子守をしながら店で働いた。
58 五月雨がやむことなく降り続く。
59 最寄りの駅から歩いて数分だ。
60 彼の話には潤色がある。
61 会社が東証二部に上場した。
62 財産を息子に譲渡する。

49 かみひとえ
50 かわせ
51 きかがく
52 きゅうどう
53 くちはば
54 かんきゅう
55 ここち
56 おもしろ
57 こもり
58 さみだれ
59 もよ
60 じゅんしょく
61 じょうじょう
62 じょうと

63 兄弟間の相克を乗り越える。
64 彼女の機嫌を損ねると怖い。
65 ひな壇にお内裏様を飾る。
66 馬の手綱を引く。
67 着物と帯と足袋を用意する。
68 賃貸マンションに住む。
69 研究生活に後半生を費やした。
70 子供が生まれて家が手狭になった。
71 貴い伝統を守り継ぐ。
72 増水した川の中州にとり残された。
73 名残を惜しみながら別れる。
74 脳裏に母の姿が浮かんだ。
75 鋼のような肉体の持ち主だ。
76 政策について委員会に諮る。

63 そうこく
64 そこ
65 だいり
66 たづな
67 たび
68 ちんたい
69 つい
70 てぜま
71 とうと（たっと）
72 なかす
73 なごり
74 のうり
75 はがね
76 はか

第2章

テーマ別本試験型問題

部首①

● 次の漢字の**部首**を記せ。

〈例〉 菜［艹］ 間［門］

1 韻
2 賓
3 戻
4 虞
5 栽

6 且
7 升
8 甚
9 畝
10 窈

解答

1 音（おと）
2 貝（かい・こがい）
3 戸（とだれ・とかんむり）
4 虍（とらがしら・とらかんむり）
5 木（き）
6 一（いち）
7 十（じゅう）
8 甘（かん・あまい）
9 田（た）
10 穴（あなかんむり）

11 弔
12 徹
13 瓶
14 丙
15 褒

16 麻
17 耗
18 虜
19 亜
20 欧

解答

11 弓（ゆみ）
12 彳（ぎょうにんべん）
13 瓦（かわら）
14 一（いち）
15 衣（ころも）
16 麻（あさ）
17 耒（すきへん・らいすき）
18 虍（とらがしら・とらかんむり）
19 二（に）
20 欠（あくび・かける）

21	22	23	24	25	26	27	28
翁	靴	殻	款	缶	享	恭	薫

29	30	31	32	33	34	35	36
玄	呉	碁	衡	克	昆	索	嗣

番号	部首	名称
21	羽	はね
22	革	かわへん
23	殳	るまた ほこづくり
24	欠	あくび かける
25	缶	ほとぎ
26	亠	なべぶた けいさんかんむり
27	⺗	したごころ
28	艹	くさかんむり
29	玄	げん
30	口	くち
31	石	いし
32	行	ぎょうがまえ ゆきがまえ
33	儿	ひとあし にんにょう
34	日	ひ
35	糸	いと
36	口	くち

37	38	39	40	41	42	43	44
爵	臭	囚	充	准	叙	彰	斉

45	46	47	48	49	50	51	52
薦	泰	衷	亭	軟	尼	寧	頒

番号	部首	名称
37	爫	つめかんむり つめがしら
38	自	みずから
39	囗	くにがまえ
40	儿	ひとあし にんにょう
41	冫	にすい
42	又	また
43	彡	さんづくり
44	斉	せい
45	艹	くさかんむり
46	氺	したみず
47	衣	ころも
48	亠	なべぶた けいさんかんむり
49	車	くるまへん
50	尸	かばね しかばね
51	宀	うかんむり
52	頁	おおがい

部首②

● 次の漢字の**部首**を記せ。

〈例〉 菜［艹］　間［門］

1 暫　2 磨　3 妄　4 羅　5 竜

6 累　7 尉　8 劾　9 嚇　10 鬼

解答

1 日（ひ）
2 石（いし）
3 女（おんな）
4 罒（あみがしら・あみめ・よこめ）
5 竜（りゅう）
6 糸（いと）
7 寸（すん）
8 力（ちから）
9 口（くちへん）
10 鬼（おに）

11 疑　12 宜　13 窮　14 虚　15 矯

16 肯　17 蛍　18 雇　19 更　20 貢

解答

11 疋（ひき）
12 宀（うかんむり）
13 穴（あなかんむり）
14 虍（とらがしら・とらかんむり）
15 矢（やへん）
16 肉（にく）
17 虫（むし）
18 隹（ふるとり）
19 曰（ひらび・いわく）
20 貝（かい・こがい）

目標時間 15分

合格ライン 37点

得点 ／52

月　日

21	22	23	24	25	26	27	28
献	再	酌	淑	釈	秀	殉	準

29	30	31	32	33	34	35	36
衝	宵	辱	唇	辛	刃	帥	髄

A 部首②

21	22	23	24	25	26	27	28
犬 いぬ	冂 どうがまえ けいがまえ まきがまえ	酉 とりへん	氵 さんずい	釆 のごめへん	禾 のぎ	歹 かばねへん いちたへん がつへん	氵 さんずい

29	30	31	32	33	34	35	36
行 ぎょうがまえ ゆきがまえ	宀 うかんむり	辰 しんのたつ	口 くち	辛 からい	刀 かたな	巾 はば	骨 ほねへん

37	38	39	40	41	42	43	44
崇	旋	喪	駄	妥	丹	致	勅

45	46	47	48	49	50	51	52
呈	邸	殿	尿	煩	罷	赴	幣

37	38	39	40	41	42	43	44
山 やま	方 ほうへん かたへん	口 くち	馬 うまへん	女 おんな	丶 てん	至 いたる	力 ちから

45	46	47	48	49	50	51	52
口 くち	阝 おおざと	殳 るまた ほこづくり	尸 かばね しかばね	火 ひへん	罒 あみがしら あみめ よこめ	走 そうにょう	巾 はば

B ランク

部首

目標時間 15分

合格ライン 37点

得点 ／52

月 日

●次の漢字の**部首**を記せ。

〈例〉菜 [艹] 間 [門]

1 弊
2 膨
3 翻
4 奔
5 摩
6 魔
7 窯
8 庸
9 履
10 吏

解答

1 廾（こまぬき にじゅうあし）
2 月（にくづき）
3 羽（はね）
4 大（だい）
5 手（て）
6 鬼（おに）
7 穴（あなかんむり）
8 广（まだれ）
9 尸（かばね しかばね）
10 口（くち）

11 裁
12 威
13 慰
14 疫
15 延
16 凹
17 寡
18 我
19 戒
20 轄

解答

11 衣（ころも）
12 女（おんな）
13 心（こころ）
14 疒（やまいだれ）
15 廴（えんにょう）
16 凵（うけばこ）
17 宀（うかんむり）
18 戈（ほこづくり ほこがまえ）
19 戈（ほこづくり ほこがまえ）
20 車（くるまへん）

21	22	23	24	25	26	27	28
甘	頑	既	戯	鶏	懸	脅	顕

29	30	31	32	33	34	35	36
顧	香	衛	剛	豪	酷	懇	宰

B
部首

番号	部首	部首名
21	甘	かん あまい
22	頁	おおがい
23	无	なし ぶ すでのつくり
24	戈	ほこづくり ほこがまえ
25	鳥	とり
26	心	こころ
27	肉	にく
28	頁	おおがい
29	頁	おおがい
30	香	か かおり
31	行	ぎょうがまえ ゆきがまえ
32	刂	りっとう
33	豕	ぶた いのこ
34	酉	とりへん
35	心	こころ
36	宀	うかんむり

37	38	39	40	41	42	43	44
壱	至	辞	遮	趣	首	愁	酬

45	46	47	48	49	50	51	52
涯	循	晶	承	礁	奨	匠	掌

番号	部首	部首名
37	士	さむらい
38	至	いたる
39	辛	からい
40	辶	しんにょう しんにゅう
41	走	そうにょう
42	首	くび
43	心	こころ
44	酉	とりへん
45	氵	さんずい
46	彳	ぎょうにんべん
47	日	ひ
48	手	て
49	石	いしへん
50	大	だい
51	匚	はこがまえ
52	手	て

熟語の構成①

目標時間 15分
合格ライン 24点
得点 /34
月 日

● **熟語の構成**のしかたには次のようなものがある。

ア 同じような意味の漢字を重ねたもの……………（**岩石**）
イ 反対または対応の意味を表す字を重ねたもの………（**高低**）
ウ 上の字が下の字を修飾しているもの……………（**洋画**）
エ 下の字が上の字の目的語・補語になっているもの（**着席**）
オ 上の字が下の字の意味を打ち消しているもの………（**非常**）

次の熟語は右の**ア〜オ**のどれにあたるか、**一つ**選び、**記号**で記せ。

1 禍福
2 寛厳
3 安寧
4 往還
5 酷使

---

6 虚実
7 興廃
8 謹慎
9 慶弔
10 検疫

解答

1 **イ**（かふく）「禍（わざわい）↔福（しあわせ）」の意
2 **イ**（かんげん）「寛（ゆるやか）↔厳（きびしい）」の意
3 **ア**（あんねい）安も寧も「やすらか」の意
4 **イ**（おうかん）「往（いく）↔還（かえる）」の意
5 **ウ**（こくし）「酷（ひどく）→使う」と解釈
6 **イ**（きょじつ）「虚（うそ）↔実（まこと）」の意
7 **イ**（こうはい）「興（さかんになる）↔廃（すたれる）」の意
8 **ア**（きんしん）謹も慎も「つつしむ」の意
9 **イ**（けいちょう）「慶（いわう）↔弔（とむらう）」の意
10 **エ**（けんえき）「検（しらべる）←疫（伝染病）を」と解釈

11 献呈
12 巧拙
13 硬軟
14 懐疑
15 酷似
16 懇請
17 衆寡
18 俊敏
19 渉外
20 上棟
21 早晩
22 争覇

---

23 贈賄
24 存廃
25 多寡
26 挑戦
27 徹夜
28 搭乗
29 廃刊
30 媒介
31 繁閑
32 罷業
33 美醜
34 不遇

11 ア （けんてい）献も呈も「さしだす」の意
12 イ （こうせつ）「巧（うまい）↕拙（へた）」の意
13 イ （こうなん）「硬（かたい）↕軟（やわらかい）」の意
14 エ （かいぎ）「懐（いだく）←疑いを」と解釈
15 ウ （こくじ）「酷（ひどく）→似ている」と解釈
16 ウ （こんせい）「懇（ねんごろに）→請う」と解釈
17 イ （しゅうか）「衆（多い）↕寡（すくない）」の意
18 ア （しゅんびん）俊も敏も「さとい」の意
19 エ （しょうがい）「渉（かかわる）←外に」と解釈
20 エ （じょうとう）「上げる←棟を」と解釈
21 イ （そうばん）「早（はやい）↕晩（おそい）」の意
22 エ （そうは）「争う←覇権を」と解釈

23 エ （ぞうわい）「贈る←賄賂（わいろ）を」と解釈
24 イ （そんぱい）「存（のこしておく）↕廃（すてる）」の意
25 イ （たか）「多（おおい）↕寡（すくない）」の意
26 エ （ちょうせん）「挑む←戦いに」と解釈
27 エ （てつや）「徹（つらぬく）←夜を」と解釈
28 ア （とうじょう）搭も乗も「のる」の意
29 エ （はいかん）「廃（やめる）←刊（出版）を」と解釈
30 ア （ばいかい）媒も介も「なかだち」の意
31 イ （はんかん）「繁（さかん）↕閑（ひま）」の意
32 エ （ひぎょう）「罷（やめる）←業（しごと）を」と解釈
33 イ （びしゅう）「美（うつくしい）↕醜（みにくい）」の意
34 オ （ふぐう）「不（ない）←ふさわしい境遇が」と解釈

熟語の構成②

目標時間 15分
合格ライン 24点
得点 ／34
月　日

●**熟語の構成**のしかたには次のようなものがある。

ア 同じような意味の漢字を重ねたもの……………（**岩石**）
イ 反対または対応の意味を表す字を重ねたもの………（**高低**）
ウ 上の字が下の字を修飾しているもの………………（**洋画**）
エ 下の字が上の字の目的語・補語になっているもの（**着席**）
オ 上の字が下の字の意味を打ち消しているもの………（**非常**）

次の熟語は右の**ア**～**オ**のどれにあたるか、**一つ**選び、**記号**で記せ。

1 扶助
2 遮音
3 奔流
4 不浄
5 抑揚

6 哀愁
7 安泰
8 逸脱
9 去就
10 閲兵

解答

1 **ア**（ふじょ）扶も助も「たすける」の意
2 **エ**（しゃおん）「遮る←音を」と解釈
3 **ウ**（ほんりゅう）「奔（勢いよい）→流れ」と解釈
4 **オ**（ふじょう）「不（ない）←浄（きよらか）で」と解釈
5 **イ**（よくよう）「抑（おさえる）↔揚（高くあげる）」の意
6 **ア**（あいしゅう）哀も愁も「悲しむ」の意
7 **ア**（あんたい）安も泰も「やすらか」の意
8 **ア**（いつだつ）逸も脱も「それる」の意
9 **イ**（きょしゅう）「去る↔就（とどまる）」の意
10 **エ**（えっぺい）「閲（しらべる）←兵を」と解釈

11 雅俗
12 懐古
13 環礁
14 不偏
15 陥没
16 貴賓
17 起伏
18 擬似
19 喫茶
20 急逝
21 不滅
22 逸話

23 研磨
24 弦楽
25 抗菌
26 克己
27 災禍
28 漆黒
29 腐臭
30 遮光
31 珠玉
32 充満
33 出没
34 述懐

11 イ（がぞく）「雅（みやび）↕俗（いやしい）」の意
12 エ（かいこ）「懐（なつかしむ）↑古（むかし）を」と解釈
13 ウ（かんしょう）「環（輪になった）↓礁（かくれ岩）」と解釈
14 オ（ふへん）「不（ない）↑偏りが」と解釈
15 ア（かんぼつ）陥も没も「落ちる」の意
16 ウ（きひん）「貴（身分の高い）↓賓（客）」と解釈
17 イ（きふく）「起（おきあがる）↕伏せる」の意
18 ア（ぎじ）擬も似も「にている」の意
19 エ（きっさ）「喫（のむ）↑茶を」と解釈
20 ウ（きゅうせい）「急に↓逝（ゆく）」と解釈
21 オ（ふめつ）「不（ない）↑滅びることが」と解釈
22 ウ（いつわ）「逸（世に知られていない）↓話」と解釈

23 ア（けんま）研も磨も「みがく」の意
24 ウ（げんがく）「弦楽器の↓音楽」と解釈
25 エ（こうきん）「抗（さからう）↑菌に」と解釈
26 エ（こっき）「克（かつ）↑己に」と解釈
27 ア（さいか）災も禍も「わざわい」の意
28 ウ（しっこく）「漆（うるし）を塗ったように↓黒い」と解釈
29 ウ（ふしゅう）「腐った↓臭い」と解釈
30 エ（しゃこう）「遮る↑光を」と解釈
31 ア（しゅぎょく）珠も玉も「たま」の意
32 ア（じゅうまん）充も満も「みたす」の意
33 イ（しゅつぼつ）「出（あらわれる）↕没（かくれる）」の意
34 エ（じゅっかい）「述べる↑懐（おもい）を」と解釈

熟語の構成①

目標時間 15分
合格ライン 24点
得点 /34
月 日

●**熟語の構成**のしかたには次のようなものがある。

ア 同じような意味の漢字を重ねたもの……………**（岩石）**
イ 反対または対応の意味を表す字を重ねたもの………**（高低）**
ウ 上の字が下の字を修飾しているもの………**（洋画）**
エ 下の字が上の字の目的語・補語になっているもの**（着席）**
オ 上の字が下の字の意味を打ち消しているもの………**（非常）**

次の熟語は右の**ア**～**オ**のどれにあたるか、**一つ**選び、**記号**で記せ。

1 殉教
2 叙景
3 奨学
4 尚早
5 不慮

6 真偽
7 親疎
8 随時
9 枢要
10 無臭

解答

1 エ（じゅんきょう）「殉（したがって死ぬ）←教えに」と解釈
2 エ（じょけい）「叙（のべる）←景色を」と解釈
3 エ（しょうがく）「奨（すすめる）←学びを」と解釈
4 ウ（しょうそう）「尚（まだ）→早い」と解釈
5 オ（ふりょ）「不（ない）←慮（考えること）が」と解釈
6 イ（しんぎ）「真（まこと）↔偽（いつわり）」の意
7 イ（しんそ）「親しい↔疎（うとい）」の意
8 エ（ずいじ）「随（まかせる）←適当な時期に」と解釈
9 ア（すうよう）枢も要も「かなめ」の意
10 オ（むしゅう）「無（ない）←臭いが」と解釈

11 精粗
12 疎密
13 造幣
14 不審
15 直轄
16 添削
17 点滅
18 独酌
19 無窮
20 納涼
21 媒体
22 賠償

23 不穏
24 彼我
25 披露
26 罷免
27 不肖
28 無粋
29 紛糾
30 偏在
31 暴騰
32 防疫
33 未遂
34 無恥

11 イ （せいそ）「精（こまかい）↔粗（あらい）」の意

12 イ （そみつ）「疎（まばら）↔密（すきまがない）」の意

13 エ （ぞうへい）「造る←貨幣を」と解釈

14 オ （ふしん）「不（ない）←審（あきらか）で」と解釈

15 ウ （ちょっかつ）「直接に→管轄する」と解釈

16 イ （てんさく）「添（つけ加える）↔削る」の意

17 イ （てんめつ）「点（つける）↔滅（けす）」の意

18 ウ （どくしゃく）「独りで→酌をする」と解釈

19 オ （むきゅう）「無（ない）←窮（きわまり）が」と解釈

20 エ （のうりょう）「納（受け入れる）←涼むことを」と解釈

21 ウ （ばいたい）「媒（なかだちをする）→体（もの）」と解釈

22 ア （ばいしょう）賠も償も「つぐなう」の意

23 オ （ふおん）「不（ない）←穏やかで」と解釈

24 イ （ひが）「彼（相手がた）↔我（自分のほう）」の意

25 ア （ひろう）披も露も「あらわししめす」の意

26 ア （ひめん）罷も免も「やめさせる」の意

27 オ （ふしょう）「不（ない）←肖（親や師に似ていること）が」と解釈

28 オ （ぶすい）「無（ない）←粋（いき）で」と解釈

29 ア （ふんきゅう）紛も糾も「もつれる」の意

30 ウ （へんざい）「偏って→存在する」と解釈

31 ウ （ぼうとう）「暴（とつぜん）→騰（あがる）」と解釈

32 エ （ぼうえき）「防ぐ←疫（伝染病）を」と解釈

33 オ （みすい）「未（まだない）←遂（やりとげること）が」と解釈

34 オ （むち）「無（ない）←恥（はじらい）が」と解釈

熟語の構成②

目標時間 15分

合格ライン 24点

得点 ／34 月 日

●**熟語の構成**のしかたには次のようなものがある。

ア 同じような意味の漢字を重ねたもの……………**（岩石）**
イ 反対または対応の意味を表す字を重ねたもの……**（高低）**
ウ 上の字が下の字を修飾しているもの……………**（洋画）**
エ 下の字が上の字の目的語・補語になっているもの**（着席）**
オ 上の字が下の字の意味を打ち消しているもの……**（非常）**

次の熟語は右の**ア～オ**のどれにあたるか、**一つ**選び、**記号**で記せ。

1 無謀
2 免疫
3 盲信
4 来賓
5 酪農

6 享楽
7 虜囚
8 暗礁
9 威嚇
10 逸材

解答

1 **オ**（むぼう）「無（ない）↑謀（考えをめぐらすこと）が」と解釈
2 **エ**（めんえき）「免（まぬかれる）↑疫病を」と解釈
3 **ウ**（もうしん）「盲（みだりに）↓信じる」と解釈
4 **ウ**（らいひん）「来（まねかれた）↓賓（大切な客）」と解釈
5 **ウ**（らくのう）「酪（乳製品）を作る↓農業」と解釈
6 **エ**（きょうらく）「享（うけいれる）↑快楽を」と解釈
7 **ア**（りょしゅう）虜も囚も「とりこ」の意
8 **ウ**（あんしょう）「暗（見えない）↓礁（かくれ岩）」と解釈
9 **ア**（いかく）威も嚇も「おどす」の意
10 **ウ**（いつざい）「逸（すぐれた）↓人材」と解釈

11 遭難
12 任免
13 赴任
14 解剖
15 核心
16 凡庸
17 楽譜
18 乾湿
19 無為
20 寛大
21 緩急
22 還元

---

23 免租
24 飢餓
25 義憤
26 吉凶
27 窮状
28 輪禍
29 虚像
30 卵殻
31 享受
32 霊魂
33 恭順
34 仰天

11 **エ**（そうなん）「遭う←困難に」と解釈

12 **イ**（にんめん）「任（まかせる）↔免（やめさせる）」の意

13 **エ**（ふにん）「赴く←任地に」と解釈

14 **ア**（かいぼう）解も剖も「切りわける」の意

15 **ア**（かくしん）核も心も「かなめ」の意

16 **ア**（ぼんよう）凡も庸も「平凡」の意

17 **ウ**（がくふ）「音楽の→譜面」と解釈

18 **イ**（かんしつ）「乾（かわく）↔湿（しめる）」の意

19 **オ**（むい）「無（ない）←為（すること）が」と解釈

20 **ア**（かんだい）寛も大も「おおらか」の意

21 **イ**（かんきゅう）「緩（ゆっくり）↔急（はやい）」の意

22 **エ**（かんげん）「還（かえる）←元に」と解釈

23 **エ**（めんそ）「免除する←租（税金）を」と解釈

24 **ア**（きが）飢も餓も「うえる」の意

25 **ウ**（ぎふん）「正義の→憤（いきどおり）」と解釈

26 **イ**（きっきょう）「吉（めでたい）↔凶（縁起が悪い）」の意

27 **ウ**（きゅうじょう）「窮（ゆきづまって苦しい）→状態」と解釈

28 **ウ**（りんか）「輪（車など）による→禍（災難）」と解釈

29 **ウ**（きょぞう）「虚（うつろな）→像（すがた）」と解釈

30 **ウ**（らんかく）「卵の→殻」と解釈

31 **ア**（きょうじゅ）享も受も「うける」の意

32 **ア**（れいこん）霊も魂も「たましい」の意

33 **ウ**（きょうじゅん）「恭（うやうやしく）→順（したがう）」と解釈

34 **エ**（ぎょうてん）「仰ぐ←天を」と解釈

Cランク

熟語の構成

目標時間 15分
合格ライン 24点
得点 ／34
月　日

●**熟語の構成**のしかたには次のようなものがある。

ア 同じような意味の漢字を重ねたもの……………（**岩石**）
イ 反対または対応の意味を表す字を重ねたもの……（**高低**）
ウ 上の字が下の字を修飾しているもの……………（**洋画**）
エ 下の字が上の字の目的語・補語になっているもの（**着席**）
オ 上の字が下の字の意味を打ち消しているもの……（**非常**）

次の熟語は右の**ア**～**オ**のどれにあたるか、**一つ**選び、**記号**で記せ。

1 殊勲
2 屈伸
3 嫌煙
4 検閲
5 献杯

6 護身
7 公邸
8 功罪
9 未刊
10 剛柔

解答

1 **ウ**（しゅくん）「殊（格別な）→勲（功績）」と解釈
2 **イ**（くっしん）「屈（まげる）↔伸（のばす）」の意
3 **エ**（けんえん）「嫌う←たばこの煙を」と解釈
4 **ア**（けんえつ）検も閲も「しらべる」の意
5 **エ**（けんぱい）「献（すすめる）←酒杯を」と解釈
6 **エ**（ごしん）「護（まもる）←身を」と解釈
7 **ウ**（こうてい）「公の→邸（やしき）」と解釈
8 **イ**（こうざい）「功（てがら）↔罪（つみ）」の意
9 **オ**（みかん）「未（まだない）←刊行することが」と解釈
10 **イ**（ごうじゅう）「剛（つよくてかたい）↔柔（やわらかい）」の意

11 合掌
12 懇願
13 是非
14 座礁
15 懲悪
16 陳述
17 蛇行
18 愚痴
19 叙勲
20 醜聞
21 剰余
22 正邪

23 淑女
24 不詳
25 庶務
26 駐屯
27 浄財
28 推奨
29 雪渓
30 旋回
31 未来
32 愉悦
33 余韻
34 諭旨

C 熟語の構成

11 エ （がっしょう）「合わせる←掌（てのひら）を」と解釈
12 ウ （こんがん）「懇（ねんごろに）→願う」と解釈
13 イ （ぜひ）「是（正しい）↔非（正しくない）」の意
14 エ （ざしょう）「座（のり上げる）←暗礁に」と解釈
15 エ （ちょうあく）「懲らしめる←悪を」と解釈
16 ア （ちんじゅつ）陳も述も「のべる」の意
17 ウ （だこう）「蛇のように曲がりくねって→行く」と解釈
18 ア （ぐち）愚も痴も「おろか」の意
19 エ （じょくん）「叙（さずける）←勲章を」と解釈
20 ウ （しゅうぶん）「醜い→聞（うわさ）」と解釈
21 ア （じょうよ）剰も余も「あまる」の意
22 イ （せいじゃ）「正しい↔邪（正しくない）」の意

23 ウ （しゅくじょ）「淑（しとやかな）→女性」と解釈
24 オ （ふしょう）「不（ない）←詳（あきらか）で」と解釈
25 ウ （しょむ）「庶（もろもろの）→務（仕事）」と解釈
26 ア （ちゅうとん）駐も屯も「とどまる」の意
27 ウ （じょうざい）「浄（けがれのない）→財（金銭）」と解釈
28 ア （すいしょう）推も奨も「すすめる」の意
29 ウ （せっけい）「雪の→渓（谷）」と解釈
30 ア （せんかい）旋も回も「まわる」の意
31 オ （みらい）「未（まだない）←来ることが」と解釈
32 ア （ゆえつ）愉も悦も「よろこぶ」の意
33 ウ （よいん）「余（残った）→韻（響き）」と解釈
34 エ （ゆし）「諭す←旨（内容）を」と解釈

Aランク

四字熟語①

目標時間 15分
合格ライン 23点
得点 ／32 月 日

●次の**四字熟語**について、問1～問4に答えよ。

問1 後の□内のひらがなを**漢字一字**にして1～8に入れ、**四字熟語**を完成せよ。□内のひらがなは一度だけ使うこと。

ア 安寧[1]序
イ 意気消[2]
ウ 一[3]百戒
エ 一網打[4]
オ [5]忍自重
カ 雲散[6]消

いん　こう　じん　せん　ちつ　ちん　ばつ　む

解答
1 安寧秩序（あんねいちつじょ）
2 意気消沈（いきしょうちん）
3 一罰百戒（いちばつひゃっかい）
4 一網打尽（いちもうだじん）
5 隠忍自重（いんにんじちょう）
6 雲散霧消（うんさんむしょう）

問3 後の□内のひらがなを**漢字一字**にして1～8に入れ、**四字熟語**を完成せよ。□内のひらがなは一度だけ使うこと。

ア 外柔内[1]
イ 冠[2]葬祭
ウ 換[3]奪胎
エ 気炎万[4]
オ [5]面仏心
カ 旧態依[6]

き　きょ　ごう　こつ　こん　じょう　ぜん　ゆう

解答
1 外柔内剛（がいじゅうないごう）
2 冠婚葬祭（かんこんそうさい）
3 換骨奪胎（かんこつだったい）
4 気炎万丈（きえんばんじょう）
5 鬼面仏心（きめんぶっしん）
6 旧態依然（きゅうたいいぜん）

キ 温[7]篤実

ク 夏炉冬[8]

7 温厚篤実（おんこうとくじつ）
8 夏炉冬扇（かろとうせん）

問2 次の9〜16の**意味**にあてはまるものを問1の**ア〜クの四字熟語**から**一つ**選び、**記号**で記せ。

9 がっかりしてしょげかえること。
10 じっと我慢して耐え、言動を慎むこと。
11 世の中が穏やかで落ち着いていること。
12 情が深く、誠意があること。
13 跡形もなくなること。
14 時季はずれで役に立たないもののたとえ。
15 見せしめをして、犯罪を予防すること。
16 悪人をひとまとめにつかまえること。

解答
9 イ
10 オ
11 ア
12 キ
13 カ
14 ク
15 ウ
16 エ

キ 群[7]割拠

ク 軽[8]妄動

7 群雄割拠（ぐんゆうかっきょ）
8 軽挙妄動（けいきょもうどう）

問4 次の9〜16の**意味**にあてはまるものを問3の**ア〜クの四字熟語**から**一つ**選び、**記号**で記せ。

9 見た目は恐ろしいが優しいこと。
10 各地の勢力ある実力者が対立する状況。
11 人生における四つの重要な儀式のこと。
12 深く考えずに行うこと。
13 見た目は穏やかだが強い心を持っていること。
14 古いものに工夫を加え、独自の作品とすること。
15 高く燃え上がるように威勢がいいこと。
16 昔のままで進歩や発展がないこと。

解答
9 オ
10 キ
11 イ
12 ク
13 ア
14 ウ
15 エ
16 カ

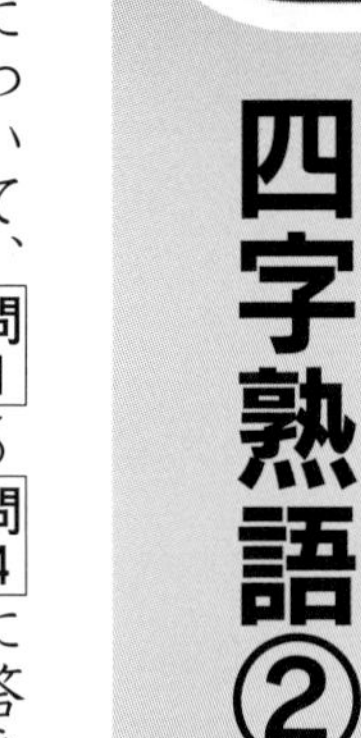

Aランク

四字熟語②

目標時間 15分

合格ライン 23点

得点 　／32 　月　日

●次の**四字熟語**について、問1〜問4に答えよ。

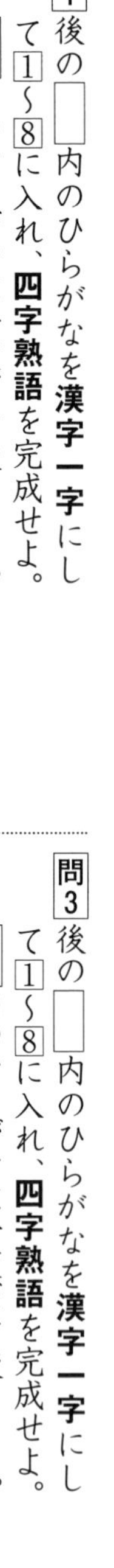

問1 後の□内のひらがなを**漢字一字**にして1〜8に入れ、**四字熟語**を完成せよ。□内のひらがなは一度だけ使うこと。

ア 孤立[1]援
イ 誇[2]妄想
ウ [3]舞激励
エ 巧[4]拙速
オ 才色[5]備
カ 少壮気[6]

えい　きゃく　くう　けん　こ　だい　ち　む

解答

1 孤立無援（こりつむえん）
2 誇大妄想（こだいもうそう）
3 鼓舞激励（こぶげきれい）
4 巧遅拙速（こうちせっそく）
5 才色兼備（さいしょくけんび）
6 少壮気鋭（しょうそうきえい）

問3 後の□内のひらがなを**漢字一字**にして1〜8に入れ、**四字熟語**を完成せよ。□内のひらがなは一度だけ使うこと。

ア 森[1]万象
イ 深謀遠[2]
ウ 神出鬼[3]
エ 酔生[4]死
オ 千紫万[5]
カ [6]思黙考

こう　ちん　とう　はつ　ぼつ　む　ら　りょ

解答

1 森羅万象（しんらばんしょう）
2 深謀遠慮（しんぼうえんりょ）
3 神出鬼没（しんしゅつきぼつ）
4 酔生夢死（すいせいむし）
5 千紫万紅（せんしばんこう）
6 沈思黙考（ちんしもっこう）

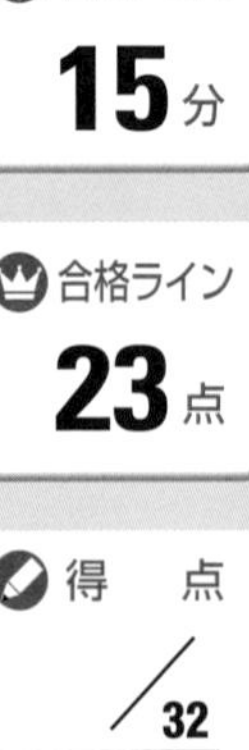

キ　色即是7

ク　心頭滅8

7 色即是空（しきそくぜくう）
8 心頭滅却（しんとうめっきゃく）

問2 次の9～16の**意味**にあてはまるものを問1の**ア～クの四字熟語**から**一つ**選び、**記号**で記せ。

9 雑念を消し去ること。

10 たった一人で助けがない状態のこと。

11 若くて勢いが盛んなこと。

12 人を元気づけて奮い立たせること。

13 おおげさに想像し現実だと思い込むこと。

14 万物のすべては実体ではないということ。

15 能力と美しさを併せ持つ女性の形容。

16 上手でおそいより下手でもはやい方がよい。

解答
9 ク
10 ア
11 カ
12 ウ
13 イ
14 キ
15 オ
16 エ

キ　徹7徹尾

ク　怒8衝天

7 徹頭徹尾（てっとうてつび）
8 怒髪衝天（どはつしょうてん）

問4 次の9～16の**意味**にあてはまるものを問3の**ア～クの四字熟語**から**一つ**選び、**記号**で記せ。

9 激しくおこっているようす。

10 静かに深く考えをめぐらせること。

11 将来まで見通した計画を立てること。

12 宇宙のすべての事物。

13 最後まで貫き通すこと。

14 ぼんやりと一生を過ごすこと。

15 色とりどりに美しく咲いている花のこと。

16 突然現れたり消えたりすること。

解答
9 ク
10 カ
11 イ
12 ア
13 キ
14 エ
15 オ
16 ウ

A ランク

四字熟語③

目標時間 15分
合格ライン 23点
得点 /32
月 日

● 次の**四字熟語**について、問1～問4に答えよ。

問1 後の□内のひらがなを**漢字一字**にして1～8に入れ、**四字熟語**を完成せよ。□内のひらがなは一度だけ使うこと。

ア 東 1 西走
イ 当意即 2
ウ 同 3 異夢
エ 美辞 4 句
オ 普遍 5 当
カ 物情 6 然

い　しょう　そう　だ　ふく　ほん　みょう　れい

解答
1 東奔西走（とうほんせいそう）
2 当意即妙（とういそくみょう）
3 同床異夢（どうしょういむ）
4 美辞麗句（びじれいく）
5 普遍妥当（ふへんだとう）
6 物情騒然（ぶつじょうそうぜん）

問3 後の□内のひらがなを**漢字一字**にして1～8に入れ、**四字熟語**を完成せよ。□内のひらがなは一度だけ使うこと。

ア 1 風美俗
イ 和洋 2 衷
ウ 愛 3 離苦
エ 異端 4 説
オ 粉骨 5 身
カ 悪戦苦 6

うん　さい　さく　じゃ　せっ　とう　べつ　りょう

解答
1 良風美俗（りょうふうびぞく）
2 和洋折衷（わようせっちゅう）
3 愛別離苦（あいべつりく）
4 異端邪説（いたんじゃせつ）
5 粉骨砕身（ふんこつさいしん）
6 悪戦苦闘（あくせんくとう）

キ　抱[7]絶倒

ク　無[8]自然

7　抱腹絶倒（ほうふくぜっとう）
8　無為自然（むいしぜん）

[問2] 次の9〜16の**意味**にあてはまるものを[問1]の**ア〜クの四字熟語**から**一つ**選び、**記号**で記せ。

9 仕事や用事であちこち忙しく移動すること。
10 あるがままにまかせること。
11 うわべだけを飾り立てた言葉。
12 すべての物事において共通して言えること。
13 状況に応じてすぐその場面に対応すること。
14 世の中が落ち着いていないようす。
15 大笑いすること。
16 行動をともにしながら考え方が違うこと。

解答
9 ア　10 ク　11 エ　12 オ　13 イ　14 カ　15 キ　16 ウ

キ　暗[7]低迷

ク　暗中模[8]

7　暗雲低迷（あんうんていめい）
8　暗中模索（あんちゅうもさく）

[問4] 次の9〜16の**意味**にあてはまるものを[問3]の**ア〜クの四字熟語**から**一つ**選び、**記号**で記せ。

9 親しい人と会えなくなるつらさや悲しみ。
10 力の限りを尽くして懸命に働くこと。
11 困難な状況で必死に努力しているようす。
12 日本と欧米の様式を取り合わせること。
13 前途が不透明な状況が続いているようす。
14 正統ではない、道に外れた教え。
15 何もわからない中で試行錯誤すること。
16 好ましい習慣やしきたりのこと。

解答
9 ウ　10 オ　11 カ　12 イ　13 キ　14 エ　15 ク　16 ア

A ランク

四字熟語④

目標時間 **15** 分

● 次の**四字熟語**について、問1～問4に答えよ。

問1 後の□内のひらがなを**漢字一字**にして1～8に入れ、**四字熟語**を完成せよ。□内のひらがなは一度だけ使うこと。

ア [1]風堂堂
イ 一[2]両得
ウ 一[3]一菜
エ 一知[4]解
オ 一朝一[5]
カ 一[6]発起

い　きょ　ごう　じゅう　せき　ねん　はん　ぼ

解答

1 威風堂堂（いふうどうどう）
2 一挙両得（いっきょりょうとく）
3 一汁一菜（いちじゅういっさい）
4 一知半解（いっちはんかい）
5 一朝一夕（いっちょういっせき）
6 一念発起（いちねんほっき）

問3 後の□内のひらがなを**漢字一字**にして1～8に入れ、**四字熟語**を完成せよ。□内のひらがなは一度だけ使うこと。

ア 歌[1]音曲
イ 禍[2]得喪
ウ [3]善懲悪
エ 危機一[4]
オ 喜色[5]面
カ 疑心[6]鬼

あん　い　えい　かん　ぱつ　ぶ　ふく　まん

解答

1 歌舞音曲（かぶおんぎょく）
2 禍福得喪（かふくとくそう）
3 勧善懲悪（かんぜんちょうあく）
4 危機一髪（ききいっぱつ）
5 喜色満面（きしょくまんめん）
6 疑心暗鬼（ぎしんあんき）

キ 朝令[7]改

ク 英俊[8]傑

[問2] 次の9〜16の**意味**にあてはまるものを[問1]の**ア〜クの四字熟語**から**一つ**選び、**記号**で記せ。

9 方針などが頻繁に変更されること。

10 質素な食事のこと。

11 物事を成し遂げようと強く決心すること。

12 周囲を圧する雰囲気が漂い、立派なこと。

13 いっぺんにふたつの利益を手に入れること。

14 きわめて短い時間のこと。

15 少ししかわかっていないこと。

16 人並み外れて強くすぐれている人物のこと。

7 朝令暮改（ちょうれいぼかい）

8 英俊豪傑（えいしゅんごうけつ）

解答

9 キ
10 ウ
11 カ
12 ア
13 イ
14 オ
15 エ
16 ク

キ [7]枯盛衰

ク 天[8]無縫

[問4] 次の9〜16の**意味**にあてはまるものを[問3]の**ア〜クの四字熟語**から**一つ**選び、**記号**で記せ。

9 華美な遊芸の総称。

10 ちょっとした差で大変なことになる状況。

11 飾り気がなく、自然なこと。

12 勢いがさかんなものもずっとは続かないこと。

13 顔いっぱいにうれしい表情があふれること。

14 怪しく思うことで何にでも恐れを抱くこと。

15 わざわいや幸せ、成功や失敗のこと。

16 よいことをすすめ、わるいことをこらしめること。

7 栄枯盛衰（えいこせいすい）

8 天衣無縫（てんいむほう）

解答

9 ア
10 エ
11 ク
12 キ
13 オ
14 カ
15 イ
16 ウ

A 四字熟語④

A ランク

四字熟語⑤

● 次の**四字熟語**について、問1～問4に答えよ。

問1 後の［　］内のひらがなを**漢字一字**にして［1］～［8］に入れ、**四字熟語**を完成せよ。［　］内のひらがなは一度だけ使うこと。

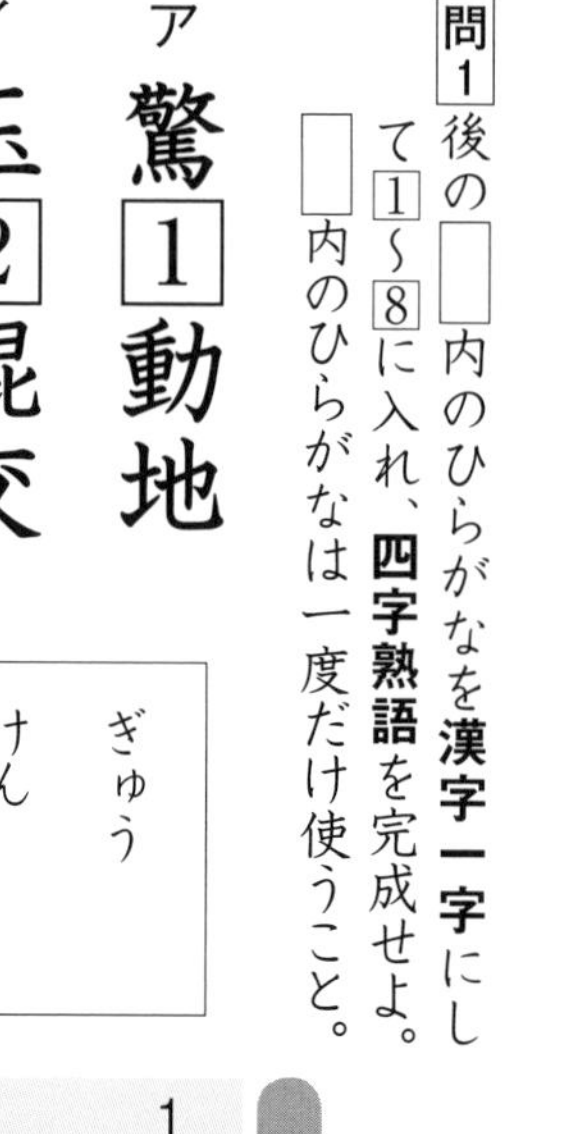

ア 驚［1］動地

イ 玉［2］混交

ウ 金城鉄［3］

エ 鶏口［4］後

オ ［5］忍不抜

カ 言［6］一致

ぎゅう　けん　こう　せき　てん　ふん　ぺき　れき

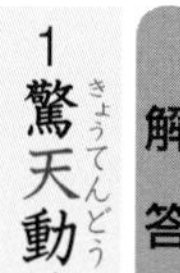

解答

1 驚天動地（きょうてんどうち）

2 玉石混交（ぎょくせきこんこう）

3 金城鉄壁（きんじょうてっぺき）

4 鶏口牛後（けいこうぎゅうご）

5 堅忍不抜（けんにんふばつ）

6 言行一致（げんこういっち）

問3 後の［　］内のひらがなを**漢字一字**にして［1］～［8］に入れ、**四字熟語**を完成せよ。［　］内のひらがなは一度だけ使うこと。

ア 五里［1］中

イ ［2］越同舟

ウ 公序良［3］

エ 厚顔無［4］

オ 刻苦［5］励

カ ［6］紫水明

ご　さん　せつ　ぞく　ち　ふん　べん　む

解答

1 五里霧中（ごりむちゅう）

2 呉越同舟（ごえつどうしゅう）

3 公序良俗（こうじょりょうぞく）

4 厚顔無恥（こうがんむち）

5 刻苦勉励（こっくべんれい）

6 山紫水明（さんしすいめい）

目標時間 15分

合格ライン 23点

得点 ／32

月　日

キ　孤軍[7]闘

ク　故事来[8]

7 孤軍奮闘（こぐんふんとう）
8 故事来歴（こじらいれき）

問2 次の9～16の**意味**にあてはまるものを問1の**ア～クの四字熟語**から**一つ**選び、**記号**で記せ。

9 断固とした思いで耐えぬくこと。

10 昔から伝わってきているものの由来。

11 世間の人がびっくりするような出来事。

12 小さな組織でも長となるほうがよいこと。

13 助けがない状況でよく戦うこと。

14 良いものと悪いものがまじっていること。

15 攻めにくいしっかりした守りのこと。

16 口にした内容とおこないに矛盾がないこと。

解答
9 オ　10 ク　11 ア　12 エ　13 キ　14 イ　15 ウ　16 カ

キ　思慮[7]別

ク　時[8]到来

7 思慮分別（しりょふんべつ）
8 時節到来（じせつとうらい）

問4 次の9～16の**意味**にあてはまるものを問3の**ア～クの四字熟語**から**一つ**選び、**記号**で記せ。

9 大変な努力をして学問などにつとめること。

10 やってきた絶好の機会。

11 自然の景観が清らかで美しいこと。

12 仲の悪い者同士が一つのところにいること。

13 他人の迷惑などかまわずあつかましいこと。

14 社会的に一般的な道徳観念のこと。

15 状況や手がかりがつかめず判断に迷うこと。

16 道理にそって慎重に正しく判断すること。

解答
9 オ　10 ク　11 カ　12 イ　13 エ　14 ウ　15 ア　16 キ

B ランク

四字熟語①

目標時間 **15**分

合格ライン **23**点

得点 ／32 月 日

● 次の**四字熟語**について、問1～問4に答えよ。

問1 後の□内のひらがなを**漢字一字**にして1～8に入れ、**四字熟語**を完成せよ。□内のひらがなは一度だけ使うこと。

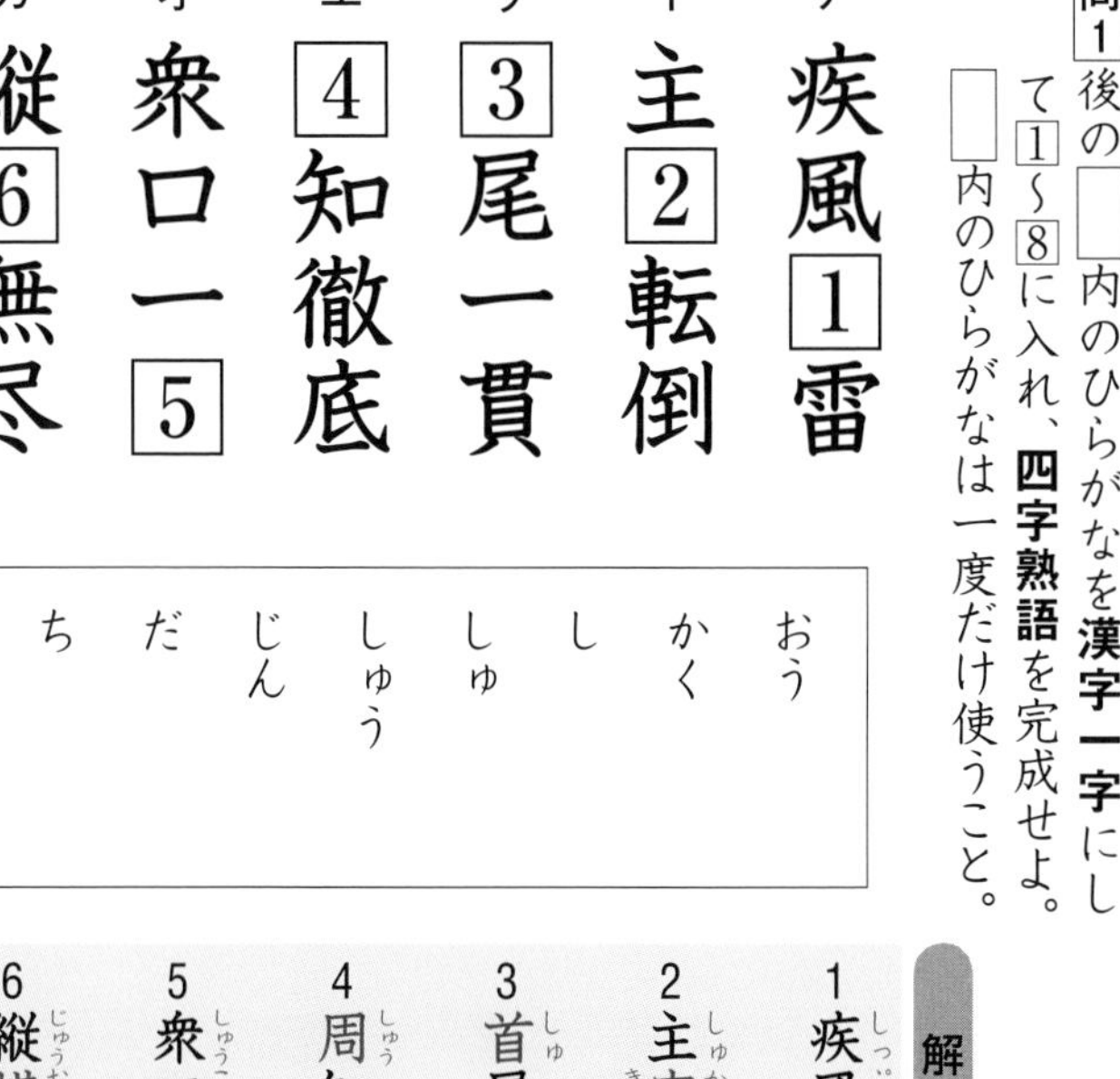

ア 疾風[1]雷

イ 主[2]転倒

ウ [3]尾一貫

エ [4]知徹底

オ 衆口一[5]

カ 縦[6]無尽

おう　かく　し　しゅ　しゅう　じん　だ　ち

解答

1 疾風迅雷（しっぷうじんらい）
2 主客転倒（しゅかくてんとう／しゅきゃく）
3 首尾一貫（しゅびいっかん）
4 周知徹底（しゅうちてってい）
5 衆口一致（しゅうこういっち）
6 縦横無尽（じゅうおうむじん）

問3 後の□内のひらがなを**漢字一字**にして1～8に入れ、**四字熟語**を完成せよ。□内のひらがなは一度だけ使うこと。

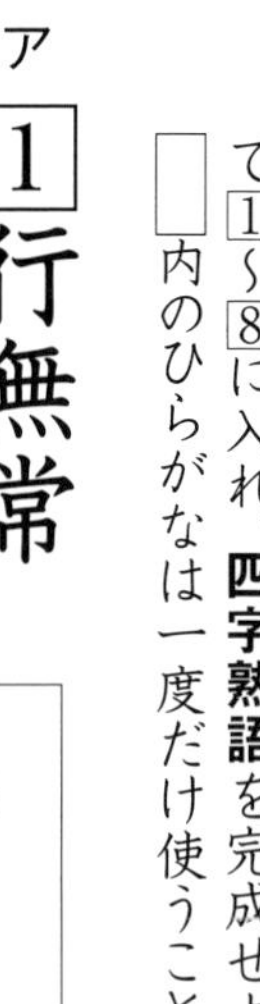

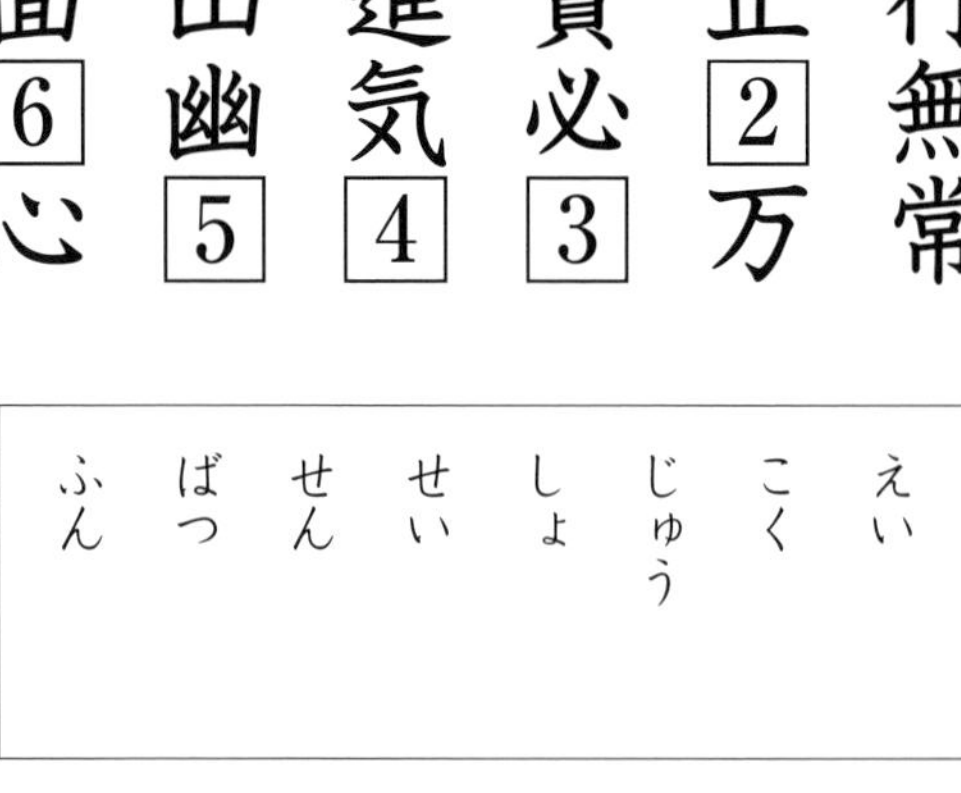

ア [1]行無常

イ 笑止[2]万

ウ 信賞必[3]

エ 新進気[4]

オ 深山幽[5]

カ 人面[6]心

えい　こく　じゅう　しょ　せい　せん　ばつ　ふん

解答

1 諸行無常（しょぎょうむじょう）
2 笑止千万（しょうしせんばん）
3 信賞必罰（しんしょうひつばつ）
4 新進気鋭（しんしんきえい）
5 深山幽谷（しんざんゆうこく）
6 人面獣心（じんめんじゅうしん）

キ　竜頭[7]尾

ク　初[8]貫徹

7 竜頭蛇尾（りゅうとうだび）

8 初志貫徹（しょしかんてつ）

問2 次の9～16の**意味**にあてはまるものを問1の**ア～クの四字熟語**から**一つ**選び、**記号**で記せ。

9 はじめに決めたことを最後までやり通すこと。

10 最初は勢いがよいが終わりはよくないこと。

11 軽重や順序、立場が逆になってしまうこと。

12 動きがすばやく激しいさま。

13 自由自在に、思う存分に振る舞うさま。

14 多くの人の意見がぴったり合うこと。

15 行動が最初から終わりまで変わらないこと。

16 世間全体に広くしれわたるようにすること。

解答

9 ク　10 キ　11 イ　12 ア　13 カ　14 オ　15 ウ　16 エ

キ　[7]耕雨読

ク　力戦[8]闘

7 晴耕雨読（せいこううどく）

8 力戦奮闘（りきせんふんとう）

問4 次の9～16の**意味**にあてはまるものを問3の**ア～クの四字熟語**から**一つ**選び、**記号**で記せ。

9 この世の事物はつねに変化するということ。

10 あたらしく登場して、勢いが盛んで有望なこと。

11 人里から遠く離れている自然の地。

12 厳正に功績は褒め罪はこらしめること。

13 精いっぱい努力すること。

14 義理や人情を知らない、冷酷な人間のこと。

15 ばかばかしいこと。

16 田舎でのんびり暮らすこと。

解答

9 ア　10 エ　11 オ　12 ウ　13 ク　14 カ　15 イ　16 キ

B ランク

四字熟語②

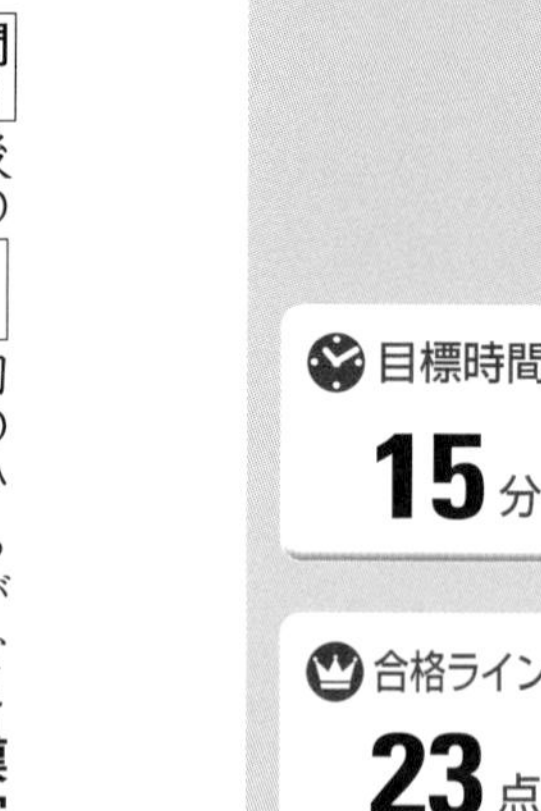

●次の**四字熟語**について、問1～問4に答えよ。

問1 後の□内のひらがなを**漢字一字**にして1～8に入れ、**四字熟語**を完成せよ。□内のひらがなは一度だけ使うこと。

ア 1息吐息
イ 先憂2楽
ウ 有為転3
エ 前4洋洋
オ 粗5粗食
カ 6然自若

あお　い　こう　しん　たい　と　ぺん　ぼ

解答
1 青息吐息（あおいきといき）
2 先憂後楽（せんゆうこうらく）
3 有為転変（ういてんぺん）
4 前途洋洋（ぜんとようよう）
5 粗衣粗食（そいそしょく）
6 泰然自若（たいぜんじじゃく）

問3 後の□内のひらがなを**漢字一字**にして1～8に入れ、**四字熟語**を完成せよ。□内のひらがなは一度だけ使うこと。

ア 吉1禍福
イ 眺望2佳
ウ 狂喜乱3
エ 難4不落
オ 円転滑5
カ 比6連理

きょう　こう　ぜっ　たい　だつ　ぶ　や　よく

解答
1 吉凶禍福（きっきょうかふく）
2 眺望絶佳（ちょうぼうぜっか）
3 狂喜乱舞（きょうきらんぶ）
4 難攻不落（なんこうふらく）
5 円転滑脱（えんてんかつだつ）
6 比翼連理（ひよくれんり）

目標時間 15分

合格ライン 23点

得点 ／32

月　日

キ 胆大[7]小

ク 朝三[8]四

7 胆大心小（たんだいしんしょう）

8 朝三暮四（ちょうさんぼし）

問2 次の9～16の**意味**にあてはまるものを問1の**ア～クの四字熟語**から**一つ**選び、**記号**で記せ。

9 目先の違いにこだわり本質を理解しないこと。

10 未来の展望が開け、希望に満ちているさま。

11 落ち着いていて少しも動揺しないこと。

12 質素にくらすこと。

13 非常に苦しい状況にあるさま。

14 人よりさきに案じ、人よりあとにたのしむこと。

15 度胸はおおきく、注意は怠らないこと。

16 世の物事は常に移りかわること。

解答

9 ク　10 エ　11 カ　12 オ　13 ア　14 イ　15 キ　16 ウ

キ 百鬼[7]行

ク 表裏一[8]

7 百鬼夜行（ひゃっきやこう・ぎょう）

8 表裏一体（ひょうりいったい）

問4 次の9～16の**意味**にあてはまるものを問3の**ア～クの四字熟語**から**一つ**選び、**記号**で記せ。

9 良いことと悪いこと。

10 躍り上がるほどにうれしがること。

11 二つのものの関係が密接で切り離せないこと。

12 男女の間の情愛が、きわめて深く強いこと。

13 悪人がのさばり思うままに悪事を行うこと。

14 見晴らしが非常にすばらしいこと。

15 滞ることなく物事を進めていくさま。

16 なかなか思い通りにならないこと。

解答

9 ア　10 ウ　11 ク　12 カ　13 キ　14 イ　15 オ　16 エ

Bランク

四字熟語③

●次の**四字熟語**について、問1～問4に答えよ。

問1 後の□内のひらがなを**漢字一字**にして1～8に入れ、**四字熟語**を完成せよ。□内のひらがなは一度だけ使うこと。

ア 不可1力
イ 2命息災
ウ 3城落日
エ 4旨明快
オ 傍若5人
カ 本末6倒

えん　かん　こ　こう　てん　ぶ　みょう　ろん

解答

1 不可抗力（ふかこうりょく）
2 延命息災（えんめいそくさい）
3 孤城落日（こじょうらくじつ）
4 論旨明快（ろんしめいかい）
5 傍若無人（ぼうじゃくぶじん）
6 本末転倒（ほんまつてんとう）

問3 後の□内のひらがなを**漢字一字**にして1～8に入れ、**四字熟語**を完成せよ。□内のひらがなは一度だけ使うこと。

ア 面目1如
イ 優2不断
ウ 優勝劣3
エ 4猛果敢
オ 前途多5
カ 容6端麗

けん　し　じゅう　そっ　なん　ぱい　やく　ゆう

解答

1 面目躍如（めんもくやくじょ／めんぼく）
2 優柔不断（ゆうじゅうふだん）
3 優勝劣敗（ゆうしょうれっぱい）
4 勇猛果敢（ゆうもうかかん）
5 前途多難（ぜんとたなん）
6 容姿端麗（ようしたんれい）

キ 7計奇策
ク 遺8千万

7 妙計奇策（みょうけいきさく）
8 遺憾千万（いかんせんばん）

問2 次の9〜16の**意味**にあてはまるものを問1の**ア〜クの四字熟語**から**一つ**選び、**記号**で記せ。

9 非常に残念で、悔しくてならないこと。
10 周りを気にかけず気ままに振る舞うこと。
11 人の意表をつくはかりごと。
12 何事もなく長生きをすること。
13 主張の筋道がはっきりしていること。
14 人の力ではどうすることもできないこと。
15 勢いが衰え、助けもなく寂しいようす。
16 重要なことと、ささいなことを取り違えること。

解答
9 ク
10 オ
11 キ
12 イ
13 エ
14 ア
15 ウ
16 カ

キ 要害7固
ク 8先垂範

7 要害堅固（ようがいけんご）
8 率先垂範（そっせんすいはん）

問4 次の9〜16の**意味**にあてはまるものを問3の**ア〜クの四字熟語**から**一つ**選び、**記号**で記せ。

9 先行きは厳しい状況にあること。
10 ぐずぐずしていて決められないようす。
11 地形が険しく敵に対する備えがかたいこと。
12 強者が栄え弱者が滅びること。
13 世間の期待通りに生き生きとしているさま。
14 自分からすすんで手本を示すこと。
15 力強く、大胆に事を行うこと。
16 体形や顔立ちが美しいこと。

解答
9 オ
10 イ
11 キ
12 ウ
13 ア
14 ク
15 エ
16 カ

Cランク

四字熟語①

目標時間 **15**分

合格ライン **23**点

得点 ／32

月　日

●次の**四字熟語**について、問1～問4に答えよ。

問1 後の□内のひらがなを**漢字一字**にして1～8に入れ、**四字熟語**を完成せよ。□内のひらがなは一度だけ使うこと。

ア　一[1]千金

イ　緩[2]自在

ウ　喜[3]哀楽

エ　佳人[4]命

オ　機略[5]横

カ　気宇[6]大

きゅう　こう　こく　じゅう　じょう　そう　ど　はく

解答

1　一刻千金（いっこくせんきん）
2　緩急自在（かんきゅうじざい）
3　喜怒哀楽（きどあいらく）
4　佳人薄命（かじんはくめい）
5　機略縦横（きりゃくじゅうおう）
6　気宇壮大（きうそうだい）

問3 後の□内のひらがなを**漢字一字**にして1～8に入れ、**四字熟語**を完成せよ。□内のひらがなは一度だけ使うこと。

ア　謹厳実[1]

イ　金科[2]条

ウ　金[3]湯池

エ　鯨飲[4]食

オ　公平無[5]

カ　[6]機到来

ぎょく　けん　こう　し　じょう　ちょく　ば　り

解答

1　謹厳実直（きんげんじっちょく）
2　金科玉条（きんかぎょくじょう）
3　金城湯池（きんじょうとうち）
4　鯨飲馬食（げいいんばしょく）
5　公平無私（こうへいむし）
6　好機到来（こうきとうらい）

キ　[7]言令色

ク　尋[8]一様

7 巧言令色（こうげんれいしょく）
8 尋常一様（じんじょういちよう）

[問2] 次の9～16の**意味**にあてはまるものを[問1]**のア～クの四字熟語**から**一つ**選び、**記号**で記せ。

9 心構えが並はずれて大きく立派なこと。

10 ごく普通で他と変わるところがないようす。

11 ことばを飾り、表情を取り繕うこと。

12 この上ないほど価値があるひとときのこと。

13 人間が持つさまざまな感情のこと。

14 早くしたり遅くしたり思うままに操ること。

15 はかりごとを自由自在にめぐらせること。

16 美人は不幸になりがちであるということ。

解答

9 カ　10 ク　11 キ　12 ア　13 ウ　14 イ　15 オ　16 エ

キ　一所[7]命

ク　支[8]滅裂

7 一所懸命（いっしょけんめい）
8 支離滅裂（しりめつれつ）

[問4] 次の9～16の**意味**にあてはまるものを[問3]**のア～クの四字熟語**から**一つ**選び、**記号**で記せ。

9 多量に飲食すること。

10 堅固な守りのたとえ。

11 言動をよく慎み、まじめなこと。

12 ばらばらで、まとまりがないこと。

13 最も大切な法律や規則。

14 めぐってきたまたとないチャンス。

15 全力で物事をすること。

16 一方に偏らず、個人的な感情を交えないこと。

解答

9 エ　10 ウ　11 ア　12 ク　13 イ　14 カ　15 キ　16 オ

C ランク

四字熟語②

目標時間 15分

合格ライン 23点

得点 /32

月 日

●次の**四字熟語**について、問1～問4に答えよ。

問1 後の□内のひらがなを**漢字一字**にして1～8に入れ、**四字熟語**を完成せよ。□内のひらがなは一度だけ使うこと。

ア 自暴自[1]
イ [2]転八倒
ウ 質実剛[3]
エ 大[4]不敵
オ 熟[5]断行
カ 真実一[6]

き　けん　ごく　しち　せき　たん　りょ　ろ

解答
1 自暴自棄（じぼうじき）
2 七転八倒（しちてんばっとう／しってんはっとう）
3 質実剛健（しつじつごうけん）
4 大胆不敵（だいたんふてき）
5 熟慮断行（じゅくりょだんこう）
6 真実一路（しんじついちろ）

問3 後の□内のひらがなを**漢字一字**にして1～8に入れ、**四字熟語**を完成せよ。□内のひらがなは一度だけ使うこと。

ア 是非曲[1]
イ 馬耳東[2]
ウ 勢力[3]仲
エ 清廉[4]白
オ [5]固一徹
カ 静[6]閑雅

かつ　がん　けっ　じゃく　ちょく　はく　ふう　めい

解答
1 是非曲直（ぜひきょくちょく）
2 馬耳東風（ばじとうふう）
3 勢力伯仲（せいりょくはくちゅう）
4 清廉潔白（せいれんけっぱく）
5 頑固一徹（がんこいってつ）
6 静寂閑雅（せいじゃくかんが）

キ　人[7]未踏

ク　[8]楽浄土

7 人跡未踏（じんせきみとう）
8 極楽浄土（ごくらくじょうど）

[問2] 次の9〜16の**意味**にあてはまるものを[問1]の**ア〜クの四字熟語**から**一つ**選び、**記号**で記せ。

9 度胸があって、何事も恐れないこと。
10 飾り気がなく誠実で強くたくましいさま。
11 けがれがなく安心して生活できる理想の地。
12 よく考えたうえで思い切っておこなうこと。
13 まだだれも入り込んだことがないこと。
14 激しい苦しみでのたうちまわること。
15 まことの心をもって生き抜くこと。
16 希望を失い投げやりな行動をすること。

解答
9 エ　10 ウ　11 ク　12 オ　13 キ　14 イ　15 カ　16 ア

キ　大[7]一声

ク　正真正[8]

7 大喝一声（だいかついっせい）
8 正真正銘（しょうしんしょうめい）

[問4] 次の9〜16の**意味**にあてはまるものを[問3]の**ア〜クの四字熟語**から**一つ**選び、**記号**で記せ。

9 うそ偽りのないこと。
10 物事の善悪のこと。
11 人の言うことを心に留めないことのたとえ。
12 考えを絶対に変えず、最後まで通すこと。
13 力の差がなく優劣をつけにくいこと。
14 ひっそりとしてふぜいが漂っているようす。
15 心が正しくやましさがないこと。
16 おおきなこえでしかりつけること。

解答
9 ク　10 ア　11 イ　12 オ　13 ウ　14 カ　15 エ　16 キ

C ランク

四字熟語③

目標時間 15分

合格ライン 23点

得点 ／32　月　日

● 次の**四字熟語**について、問1～問4に答えよ。

問1 後の□内のひらがなを**漢字一字**にして1～8に入れ、**四字熟語**を完成せよ。□内のひらがなは一度だけ使うこと。

ア 快刀乱[1]

イ [2]一無二

ウ [3]牛充棟

エ 天[4]孤独

オ 多岐亡[5]

カ 多事多[6]

がい　かん　ぐう　けん　たん　ま　ゆい　よう

解答

1 快刀乱麻（かいとうらんま）

2 唯一無二（ゆいいつむに）

3 汗牛充棟（かんぎゅうじゅうとう）

4 天涯孤独（てんがいこどく）

5 多岐亡羊（たきぼうよう）

6 多事多端（たじたたん）

問3 後の□内のひらがなを**漢字一字**にして1～8に入れ、**四字熟語**を完成せよ。□内のひらがなは一度だけ使うこと。

ア 百[1]錬磨

イ 附和[2]同

ウ 懇切丁[3]

エ 免許皆[4]

オ 悠悠自[5]

カ 流言[6]語

せん　てき　でん　ねい　はく　ひ　へい　らい

解答

1 百戦錬磨（ひゃくせんれんま）

2 附和雷同（ふわらいどう）

3 懇切丁寧（こんせつていねい）

4 免許皆伝（めんきょかいでん）

5 悠悠自適（ゆうゆうじてき）

6 流言飛語（りゅうげんひご）

キ　昼夜 7 行

ク　千載一 8

7 昼夜兼行（ちゅうやけんこう）
8 千載一遇（せんざいいちぐう）

問2 次の9～16の**意味**にあてはまるものを 問1 **のア～クの四字熟語**から**一つ**選び、**記号**で記せ。

9 やるべきことがたくさんあって忙しいこと。

10 めったに巡り合えない絶好の機会。

11 蔵書がきわめて多いこと。

12 休みなく仕事をすること。

13 ただひとつだけで、他に並ぶものがないこと。

14 方針がいろいろあって迷うことのたとえ。

15 この世に身寄りがひとりもいないこと。

16 もつれた事態を鮮やかに解決すること。

解答
9 カ　10 ク　11 ウ　12 キ　13 イ　14 オ　15 エ　16 ア

キ　7 志弱行

ク　天下泰 8

7 薄志弱行（はくしじゃっこう）
8 天下泰平（てんかたいへい）

問4 次の9～16の**意味**にあてはまるものを 問3 **のア～クの四字熟語**から**一つ**選び、**記号**で記せ。

9 自分の意見がなく、他にすぐ賛成すること。

10 世俗を離れ、思うままにゆったり生きること。

11 世の中が穏やかに治まっていること。

12 心がこもっていて細かい点にも気を配ること。

13 師匠が弟子に極意を残らず授けること。

14 多くの経験を積んで鍛えられていること。

15 決断力に欠けること。

16 根拠のない無責任なうわさ。

解答
9 イ　10 オ　11 ク　12 ウ　13 エ　14 ア　15 キ　16 カ

Aランク

対義語・類義語①

目標時間 23分

合格ライン 31点

得点 ／44

月 日

●次の**対義語**、**類義語**を後の□の中から選び、**漢字**で記せ。□の中の語は一度だけ使うこと。

対義語

1 購入
2 召還
3 擁護
4 高尚

類義語

5 回顧
6 座視
7 逝去
8 同等

えいみん・しんがい
ついおく・ていぞく
ばいきゃく・はけん
ひってき・ぼうかん

解答

1 売却（ばいきゃく）
2 派遣（はけん）
3 侵害（しんがい）
4 低俗（ていぞく）
5 追憶（ついおく）
6 傍観（ぼうかん）
7 永眠（えいみん）
8 匹敵（ひってき）

対義語

9 削除
10 醜悪
11 喪失
12 堕落

類義語

13 厄介
14 猶予
15 輸送
16 遺憾

うんぱん・えんき
かくとく・こうせい
ざんねん・てんか
びれい・めんどう

解答

9 添加（てんか）
10 美麗（びれい）
11 獲得（かくとく）
12 更生（こうせい）
13 面倒（めんどう）
14 延期（えんき）
15 運搬（うんぱん）
16 残念（ざんねん）

対義語

17 中枢
18 漠然
19 凡庸
20 特殊
21 懐柔
22 概要
23 希釈

類義語

24 看過
25 制裁
26 頑丈
27 駆逐
28 勲功
29 激励
30 辛抱

いあつ・いだい・いっぱん
がまん・けんご・こぶ
しょうさい・しょばつ・せんめい
ついほう・てがら・のうしゅく
まったん・もくにん

解答

17 末端（まったん）
18 鮮明（せんめい）
19 偉大（いだい）
20 一般（いっぱん）
21 威圧（いあつ）
22 詳細（しょうさい）
23 濃縮（のうしゅく）
24 黙認（もくにん）
25 処罰（しょばつ）
26 堅固（けんご）
27 追放（ついほう）
28 手柄（てがら）
29 鼓舞（こぶ）
30 我慢（がまん）

対義語

31 閑暇
32 干渉
33 緩慢
34 寛容
35 左遷
36 享楽
37 傑物

類義語

38 懇切
39 醜聞
40 熟睡
41 貢献
42 泰然
43 抹消
44 手本

あんみん・えいてん・おめい
きよ・きんよく・げんかく
じょきょ・たぼう・ちんちゃく
ていちょう・びんそく
ほうにん・ぼんじん・もはん

解答

31 多忙（たぼう）
32 放任（ほうにん）
33 敏速（びんそく）
34 厳格（げんかく）
35 栄転（えいてん）
36 禁欲（きんよく）
37 凡人（ぼんじん）
38 丁重（ていちょう）
39 汚名（おめい）
40 安眠（あんみん）
41 寄与（きよ）
42 沈着（ちんちゃく）
43 除去（じょきょ）
44 模範（もはん）

Aランク

対義語・類義語②

目標時間 23分
合格ライン 31点
得点 /44
月 日

●次の対義語、類義語を後の□の中から選び、漢字で記せ。□の中の語は一度だけ使うこと。

対義語
1 暫時
2 諮問
3 寡黙
4 衰微

類義語
5 忍耐
6 憤慨
7 紛糾
8 変遷

がまん・げきど
こうきゅう・こんらん
すいい・たべん
とうしん・はんえい

解答
1 恒久（こうきゅう）
2 答申（とうしん）
3 多弁（たべん）
4 繁栄（はんえい）
5 我慢（がまん）
6 激怒（げきど）
7 混乱（こんらん）
8 推移（すいい）

対義語
9 清浄
10 淡泊
11 煩雑
12 悲哀

類義語
13 懲戒
14 普通
15 哀訴
16 卓越

おだく・かんき
かんりゃく・しょばつ
じんじょう・たんがん
のうこう・ひぼん

解答
9 汚濁（おだく）
10 濃厚（のうこう）
11 簡略（かんりゃく）
12 歓喜（かんき）
13 処罰（しょばつ）
14 尋常（じんじょう）
15 嘆願（たんがん）
16 非凡（ひぼん）

対義語

17 秘匿
18 服従
19 隆起
20 哀悼
21 逸材
22 怠惰
23 固辞

類義語

24 火急
25 頑健
26 調和
27 追跡
28 懇意
29 策謀
30 酌量

かいだく・きんこう・きんべん
けいりゃく・こうりょ・しゅくが
じょうぶ・しんみつ・せっぱく
ちんこう・ていこう・ばくろ
びこう・ぼんさい

解答

17 暴露（ばくろ）
18 抵抗（ていこう）
19 沈降（ちんこう）
20 祝賀（しゅくが）
21 凡才（ぼんさい）
22 勤勉（きんべん）
23 快諾（かいだく）
24 切迫（せっぱく）
25 丈夫（じょうぶ）
26 均衡（きんこう）
27 尾行（びこう）
28 親密（しんみつ）
29 計略（けいりゃく）
30 考慮（こうりょ）

対義語

31 概略
32 恭順
33 軽率
34 拘禁
35 浄化
36 湿潤
37 醜聞

類義語

38 周辺
39 純朴
40 将来
41 庶民
42 干渉
43 永遠
44 卓絶

いさい・おせん・かいにゅう
かんそう・きんりん・こうきゅう
しゃくほう・しんちょう・すなお
ぜんと・たいしゅう・ばつぐん
はんこう・びだん

解答

31 委細（いさい）
32 反抗（はんこう）
33 慎重（しんちょう）
34 釈放（しゃくほう）
35 汚染（おせん）
36 乾燥（かんそう）
37 美談（びだん）
38 近隣（きんりん）
39 素直（すなお）
40 前途（ぜんと）
41 大衆（たいしゅう）
42 介入（かいにゅう）
43 恒久（こうきゅう）
44 抜群（ばつぐん）

Bランク

対義語・類義語

目標時間 23分
合格ライン 31点
得点 /44
月 日

● 次の**対義語**、**類義語**を後の□の中から選び、**漢字**で記せ。□の中の語は一度だけ使うこと。

対義語

1 受理
2 冗漫
3 新鋭
4 進撃

類義語

5 調停
6 窮乏
7 動転
8 卑近

かんけつ・きゃっか
ぎょうてん・こごう
たいきゃく・ちゅうさい
つうぞく・ひんこん

解答

1 却下（きゃっか）
2 簡潔（かんけつ）
3 古豪（ここう）
4 退却（たいきゃく）
5 仲裁（ちゅうさい）
6 貧困（ひんこん）
7 仰天（ぎょうてん）
8 通俗（つうぞく）

対義語

9 疎遠
10 遠方
11 重厚
12 中庸

類義語

13 不意
14 無粋
15 普遍
16 奔走

いっぱん・きょくたん
きんりん・けいはく
しんみつ・じんりょく
とうとつ・やぼ

解答

9 親密（しんみつ）
10 近隣（きんりん）
11 軽薄（けいはく）
12 極端（きょくたん）
13 唐突（とうとつ）
14 野暮（やぼ）
15 一般（いっぱん）
16 尽力（じんりょく）

対義語

17 設置
18 鈍重
19 罷免
20 偏屈
21 純白
22 優良
23 逮捕

類義語

24 無窮
25 幽閉
26 理由
27 留意
28 間隔
29 円熟
30 横領

えいえん・かんきん・きびん
きょり・こんきょ・しっこく
しゃくほう・すなお・ちゃくふく
てっきょ・にんめい・はいりょ
れつあく・ろうれん

解答

17 撤去（てっきょ）
18 機敏（きびん）
19 任命（にんめい）
20 素直（すなお）
21 漆黒（しっこく）
22 劣悪（れつあく）
23 釈放（しゃくほう）
24 永遠（えいえん）
25 監禁（かんきん）
26 根拠（こんきょ）
27 配慮（はいりょ）
28 距離（きょり）
29 老練（ろうれん）
30 着服（ちゃくふく）

対義語

31 開設
32 混濁
33 合併
34 寛大
35 記憶
36 凝縮
37 供述

類義語

38 栄光
39 看護
40 丁寧
41 複製
42 基地
43 奇抜
44 逆襲

かいほう・かくさん・きょてん
げんかく・たんねん・とうめい
とっぴ・はんげき・ぶんり
へいさ・ぼうきゃく・めいよ
もくひ・もぞう

解答

31 閉鎖（へいさ）
32 透明（とうめい）
33 分離（ぶんり）
34 厳格（げんかく）
35 忘却（ぼうきゃく）
36 拡散（かくさん）
37 黙秘（もくひ）
38 名誉（めいよ）
39 介抱（かいほう）
40 丹念（たんねん）
41 模造（もぞう）
42 拠点（きょてん）
43 突飛（とっぴ）
44 反撃（はんげき）

C ランク

対義語・類義語①

目標時間 23分
合格ライン 31点
得点 /44
月 日

● 次の**対義語**、**類義語**を後の□の中から選び、**漢字**で記せ。□の中の語は一度だけ使うこと。

対義語
1 混乱
2 理論
3 軽侮
4 発病

類義語
5 互角
6 豊富
7 譲歩
8 難点

けっかん・じっせん・じゅんたく・すうはい・だきょう・ちつじょ・ちゆ・はくちゅう

解答
1 秩序（ちつじょ）
2 実践（じっせん）
3 崇拝（すうはい）
4 治癒（ちゆ）
5 伯仲（はくちゅう）
6 潤沢（じゅんたく）
7 妥協（だきょう）
8 欠陥（けっかん）

対義語
9 飽食
10 絶賛
11 分割
12 不足

類義語
13 他界
14 対価
15 削除
16 平穏

あんねい・いっかつ・かじょう・きが・こくひょう・せいきょ・ほうしゅう・まっしょう

解答
9 飢餓（きが）
10 酷評（こくひょう）
11 一括（いっかつ）
12 過剰（かじょう）
13 逝去（せいきょ）
14 報酬（ほうしゅう）
15 抹消（まっしょう）
16 安寧（あんねい）

対義語

17 特殊
18 繁忙
19 自生
20 総合
21 緩慢
22 解放
23 欠乏

類義語

24 強情
25 昼寝
26 適切
27 永遠
28 是認
29 解雇
30 屋敷

がんこ・かんさん・こうてい
ごすい・さいばい・じゅうそく
じんそく・そくばく・だとう
ていたく・ひめん・ふへん
ぶんせき・ゆうきゅう

解答

17 普遍（ふへん）
18 閑散（かんさん）
19 栽培（さいばい）
20 分析（ぶんせき）
21 迅速（じんそく）
22 束縛（そくばく）
23 充足（じゅうそく）
24 頑固（がんこ）
25 午睡（ごすい）
26 妥当（だとう）
27 悠久（ゆうきゅう）
28 肯定（こうてい）
29 罷免（ひめん）
30 邸宅（ていたく）

対義語

31 尊大
32 国産
33 個別
34 進出
35 巧妙
36 受諾
37 蓄積

類義語

38 湯船
39 困苦
40 道徳
41 順次
42 根絶
43 死角
44 脅迫

いかく・いっせい・きょひ
けんきょ・しょうもう・しんさん
せつれつ・ちくじ・てったい
はくらい・ぼくめつ・もうてん
よくそう・りんり

解答

31 謙虚（けんきょ）
32 舶来（はくらい）
33 一斉（いっせい）
34 撤退（てったい）
35 拙劣（せつれつ）
36 拒否（きょひ）
37 消耗（しょうもう）
38 浴槽（よくそう）
39 辛酸（しんさん）
40 倫理（りんり）
41 逐次（ちくじ）
42 撲滅（ぼくめつ）
43 盲点（もうてん）
44 威嚇（いかく）

Cランク

対義語・類義語②

目標時間 23分
合格ライン 31点
得点 /44 月 日

● 次の**対義語**、**類義語**を後の□の中から選び、**漢字**で記せ。□の中の語は一度だけ使うこと。

対義語
1 厳寒
2 謙虚
3 剛健
4 拘束

類義語
5 窮地
6 抵当
7 慶賀
8 長者

きき・こうまん
しゃくほう・しゅくふく
たんぽ・にゅうじゃく
ふごう・もうしょ

解答
1 猛暑（もうしょ）
2 高慢（こうまん）
3 柔弱（にゅうじゃく）
4 釈放（しゃくほう）
5 危機（きき）
6 担保（たんぽ）
7 祝福（しゅくふく）
8 富豪（ふごう）

対義語
9 恒例
10 幼稚
11 介入
12 裕福

類義語
13 交渉
14 根幹
15 踏襲
16 左遷

きばん・けいしょう
こうかく・だんぱん
ひんこん・ぼうかん
りんじ・ろうれん

解答
9 臨時（りんじ）
10 老練（ろうれん）
11 傍観（ぼうかん）
12 貧困（ひんこん）
13 談判（だんぱん）
14 基盤（きばん）
15 継承（けいしょう）
16 降格（こうかく）

対義語

17 仙境
18 正統
19 絶滅
20 相違
21 粗雑
22 解雇
23 恥辱

類義語

24 屈指
25 措置
26 上申
27 辛苦
28 正邪
29 繊細
30 受諾

いたん・がっち・さいよう
しょうち・しょり・しんげん
ぜんあく・ぞっかい・なんぎ
ばつぐん・はんしょく・びみょう
めいよ・めんみつ

解答

17 俗界（ぞっかい）
18 異端（いたん）
19 繁殖（はんしょく）
20 合致（がっち）
21 綿密（めんみつ）
22 採用（さいよう）
23 名誉（めいよ）
24 抜群（ばつぐん）
25 処理（しょり）
26 進言（しんげん）
27 難儀（なんぎ）
28 善悪（ぜんあく）
29 微妙（びみょう）
30 承知（しょうち）

対義語

31 融合
32 陳腐
33 逃走
34 油断
35 騰貴
36 卑下
37 拾得

類義語

38 全治
39 大胆
40 首肯
41 薄情
42 技量
43 陳列
44 繁栄

いしつ・けいかい・げらく
ごうほう・じまん・しゅわん
しんせん・せいきょう・ついせき
てんじ・なっとく・ぶんれつ
へいゆ・れいたん

解答

31 分裂（ぶんれつ）
32 新鮮（しんせん）
33 追跡（ついせき）
34 警戒（けいかい）
35 下落（げらく）
36 自慢（じまん）
37 遺失（いしつ）
38 平癒（へいゆ）
39 豪放（ごうほう）
40 納得（なっとく）
41 冷淡（れいたん）
42 手腕（しゅわん）
43 展示（てんじ）
44 盛況（せいきょう）

Aランク

同音・同訓異字①

目標時間 25分

合格ライン 34点

得点 　/48

月　日

●次の――線のカタカナを漢字に直せ。

1 賃**タイ**マンションに入居した。

2 忍**タイ**を必要とする立場にある。

3 水**トウ**に入れたお茶を飲む。

4 まるで**トウ**視しているようだ。

5 傷口の**エン**症を抑える。

6 サプリメントで亜**エン**をとる。

7 ごぼうは食物繊**イ**が豊富だ。

8 作家に小説の執筆を**イ**頼する。

9 雑菌の温**ショウ**を取り除く。

10 年齢を詐**ショウ**していた。

解答

1 貸　2 耐　3 筒　4 透　5 炎　6 鉛　7 維　8 依　9 床　10 称

11 雑誌に広告を掲**サイ**する。

12 色**サイ**が美しい写真だ。

13 知り合いを紹**カイ**される。

14 公務員が懲**カイ**処分となる。

15 論文の典**キョ**を明記する。

16 がれきを撤**キョ**する。

17 戦乱が続き、都は**コウ**廃した。

18 登録した個人情報を**コウ**新する。

19 生地の感**ショク**を確かめる。

20 知らぬ間にカビが増**ショク**した。

解答

11 載　12 彩　13 介　14 戒　15 拠　16 去　17 荒　18 更　19 触　20 殖

21 寝食を忘れて**モウ**烈に働いた。
22 全ての作品を**モウ**羅した全集だ。
23 晴雨**ケン**用の傘を購入する。
24 **ケン**虚な態度で耳を傾ける。
25 既成の曲に酷**ジ**している。
26 **ジ**養に富む食物を摂取する。
27 すばらしい**カン**督に恵まれた。
28 自然**カン**境を守る運動をする。
29 何事にも**ジュウ**軟に対応する。
30 怪**ジュウ**のおもちゃを集める。
31 最後まで**テイ**抗を続ける。
32 ハンカチを**テイ**寧に折り畳む。
33 建物の老**キュウ**化が激しい。
34 エコカーが普**キュウ**してきた。

A

21 猛
22 網
23 兼
24 謙
25 似
26 滋
27 監
28 環
29 柔
30 獣
31 抵
32 丁
33 朽
34 及

35 お褒めいただき**キョウ**縮です。
36 早期解決のために妥**キョウ**する。
37 自宅で謹**シン**することになった。
38 健康**シン**断の結果を聞く。
39 花瓶に生けた花が**カ**れた。
40 不安に**カ**られて走り出した。
41 試合で苦戦を**シ**いられた。
42 賛成派が大多数を**シ**める。
43 娘が土手で花を**ツ**んできた。
44 かばんに旅の荷物を**ツ**めた。
45 落ち着いてテストに**ノゾ**む。
46 東京タワーから都内を**ノゾ**む。
47 **ス**んだ話を蒸し返す。
48 秋の空は**ス**み切っていた。

35 恐
36 協
37 慎
38 診
39 枯
40 駆
41 強
42 占
43 摘
44 詰
45 臨
46 望
47 済
48 澄

Aランク

同音・同訓異字②

目標時間 25分

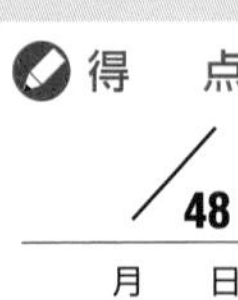

合格ライン 34点

得点 /48

月　日

● 次の――線のカタカナを漢字に直せ。

1 流行の最先タンをいく服装だ。
2 美しい山河に詠タンする。
3 事件のショウ細を明らかにする。
4 言葉が高ショウ過ぎて難解だ。
5 ゲームのコウ略本を買う。
6 芳コウ剤を新しいものに替える。
7 無医村に行き、診リョウする。
8 試合の全日程が終リョウした。
9 友人の愚チを聞いてやる。
10 作品は美の極チに達している。

解答

1 端
2 嘆
3 詳
4 尚
5 攻
6 香
7 療
8 了
9 痴
10 致

11 絶パンの本を手に入れた。
12 手ぎわよく運パン作業を始めた。
13 撮エイは順調に進んだ。
14 彼はエイ利な頭脳の持ち主だ。
15 希望を失い自ボウ自棄になる。
16 重大事件の裁判をボウ聴する。
17 資本力で市場を独センする。
18 新人がセン風を巻き起こす。
19 ソ訟を起こすことに決めた。
20 孤独とソ外感にさいなまれる。

解答

11 版
12 搬
13 影
14 鋭
15 暴
16 傍
17 占
18 旋
19 訴
20 疎

21 他社の商品と比**カク**する。
22 防災用品売り場を**カク**充する。
23 期待感から胸の**コ**動が高まる。
24 不当な理由で解**コ**された。
25 怒った犬が**イ**嚇し始めた。
26 これまでの経**イ**を説明した。
27 メジャーリーグに**チョウ**戦する。
28 天守閣は権力の象**チョウ**だ。
29 今日は空気が**カン**燥している。
30 **カン**轄する地域を巡回する。
31 公金の使**ト**を明らかにする。
32 保護した犬や猫を譲**ト**する。
33 窃**トウ**の容疑をかけられた。
34 雑**トウ**を避けて遠回りする。

21 較
22 拡
23 鼓
24 雇
25 威
26 緯
27 挑
28 徴
29 乾
30 管
31 途
32 渡
33 盗
34 踏

35 **コン**姻届が受理された。
36 幼稚園の**コン**談会に参加する。
37 **フ**傷者を担架に乗せて運ぶ。
38 縁側の柱が**フ**食していた。
39 魚の**ム**れが泳いでいる。
40 日本の夏は湿気で**ム**す。
41 川に**ソ**って桜並木が続く。
42 そっと肩に手を**ソ**える。
43 山でカブトムシを**ツカ**まえる。
44 **ツカ**れてこれ以上は歩けない。
45 一帯は変化に**ト**んだ地形だ。
46 彫刻で使う小刀を**ト**ぐ。
47 法律を**タテ**にとって主張する。
48 **タテ**書きで手紙を書く。

35 婚
36 懇
37 負
38 腐
39 群
40 蒸
41 沿
42 添
43 捕
44 疲
45 富
46 研
47 盾
48 縦

Bランク

同音・同訓異字①

目標時間 25分

合格ライン 34点

得点 /48 月 日

●次の――線のカタカナを漢字に直せ。

1 エビやカニは**コウ**殻類である。
2 近代医学の発展に**コウ**献した。
3 看護師として内科病**トウ**で働く。
4 ガソリンの価格が急**トウ**する。
5 **カイ**目見当がつかない。
6 誘**カイ**事件の犯人を逮捕する。
7 鋭い意見で問題の**カク**心をつく。
8 高額の優勝賞金を**カク**得する。
9 暗く**イン**気な曇り空の日が続く。
10 **イン**律を工夫して詩を作る。

解答

1 甲 2 貢 3 棟 4 騰 5 皆 6 拐 7 核 8 獲 9 陰 10 韻

11 先代の**ショウ**像画を飾る。
12 課長への**ショウ**進が決まった。
13 **ボウ**大な量の資料を読み込む。
14 兄の料理の腕前は脱**ボウ**ものだ。
15 **カン**大な態度で罪を許した。
16 募集の要件を**カン**和した。
17 ルールの**モウ**点をつく。
18 高熱が出て体力を消**モウ**する。
19 優しさが心の**キン**線に触れた。
20 事態は**キン**迫の度を増している。

解答

11 肖 12 昇 13 膨 14 帽 15 寛 16 緩 17 盲 18 耗 19 琴 20 緊

21 厳しく追及され返答に**キュウ**する。
22 **キュウ**陵に墓地が作られる。
23 **シン**士的な態度で交渉に当たる。
24 敗戦の連続で**シン**酸をなめた。
25 長らく無冠の**テイ**王と呼ばれた。
26 初めての作品を師に献**テイ**した。
27 仕事をやめて夫の**フ**養に入る。
28 **フ**遍的な美しさを追求する。
29 時間に余**ユウ**を持って出発する。
30 命の営みが**ユウ**久の昔から続く。
31 **スイ**眠不足で頭が働かない。
32 **スイ**奏楽部に入部した。
33 管**カツ**の警察署に赴く。
34 話し合いは円**カツ**に終わった。

21 窮　22 丘　23 紳　24 辛　25 帝　26 呈　27 扶　28 普　29 裕　30 悠　31 睡　32 吹　33 轄　34 滑

35 顧客のニーズを**ハ**握する。
36 報道記者を現地に**ハ**遣する。
37 感激のあまり思わず落**ルイ**する。
38 解決すべき課題が**ルイ**積する。
39 軽口に**ツ**られて笑ってしまった。
40 手を**ツ**くしたが失敗した。
41 **ウ**れたトマトを丸かじりした。
42 遺跡は地中に**ウ**もれていた。
43 傘の**エ**をしっかりと持つ。
44 入り**エ**にボートを浮かべる。
45 切れかかった草履の鼻**オ**を直す。
46 寸暇を**オ**しんで勉強をした。
47 習字の前に**スミ**をする。
48 肉を焼くために**スミ**をおこす。

35 把　36 派　37 涙　38 累　39 釣　40 尽　41 熟　42 埋　43 柄　44 江　45 緒　46 惜　47 墨　48 炭

同音・同訓異字②

目標時間 25分
合格ライン 34点
得点 ／48
月　日

●次の――線のカタカナを漢字に直せ。

1 派閥争いで組織は分レツした。
2 コンテストで優レツを競う。
3 権力者に服ジュウする。
4 服に墨ジュウがついてしまった。
5 退去要請をキョ否する。
6 謙キョな姿勢で教えを受けた。
7 司法解ボウをして死因を調べる。
8 多ボウな日々が続いている。
9 遠くに工場のエン突が見える。
10 現在の会社にはエン故で入った。

解答
1 裂　2 劣　3 従　4 汁　5 拒　6 虚　7 剖　8 忙　9 煙　10 縁

11 ダン腸の思いで別れを告げた。
12 反政府勢力がダン圧された。
13 社会に貢ケンしたいと考える。
14 電子ケン微鏡で極小の世界を見る。
15 ガン固な性格は父譲りだ。
16 食品の水分ガン有量を調べる。
17 川に沿ってテイ防を築く。
18 相手チームの練習をテイ察する。
19 借金の返済をサイ促される。
20 多額の負サイを抱えている。

解答
11 断　12 弾　13 献　14 顕　15 頑　16 含　17 堤　18 偵　19 催　20 債

21 自動車の**ソウ**音に悩まされる。
22 友に**ソウ**大な夢を語る。
23 幼子と童**ヨウ**を歌った。
24 外国の伝統的な舞**ヨウ**を見た。
25 華**レイ**な技に舌を巻いた。
26 試験の開始前に予**レイ**が鳴った。
27 実行には周**トウ**な準備が必要だ。
28 事故の犠牲者を追**トウ**した。
29 ビールで祝**ハイ**をあげた。
30 **ハイ**出ガスの削減を目指す。
31 熱**キョウ**的なファンに囲まれる。
32 絶**キョウ**する声が響いた。
33 随筆の原**コウ**を書き上げる。
34 製品の表面は**コウ**菌加工だ。

21 騒
22 壮
23 謡
24 踊
25 麗
26 鈴
27 到
28 悼
29 杯
30 排
31 狂
32 叫
33 稿
34 抗

35 何の取り柄もない**ボン**庸な人だ。
36 祖父の趣味は**ボン**栽だ。
37 話はいよいよ**カ**境に入った。
38 軽はずみな発言が舌**カ**を招く。
39 職場での不満を**ハ**き出した。
40 逆境を**ハ**ね返して成功した。
41 生地を**タ**って縫い合わせる。
42 何に対しても文句を**タ**れる。
43 大根と鶏肉を大きななべで**ニ**た。
44 話し方がとても**ニ**ている。
45 **クワ**しく説明している解説書だ。
46 熟した**クワ**の実を摘む。
47 **フ**りかぶってボールを投げた。
48 折に**フ**れて祖母の家を訪ねる。

35 凡
36 盆
37 佳
38 禍
39 吐
40 跳
41 裁
42 垂
43 煮
44 似
45 詳
46 桑
47 振
48 触

Cランク

同音・同訓異字①

目標時間 25分
合格ライン 34点
得点 ／48
月 日

●次の――線のカタカナを漢字に直せ。

1 調査の結果を分**セキ**する。
2 大規模な遺**セキ**が発見された。
3 内**ゾウ**に脂肪が蓄積される。
4 両親への花束**ゾウ**呈が行われた。
5 漂**ハク**の詩人と言われている。
6 失業して生活が窮**ハク**する。
7 不況のため工場を閉**サ**した。
8 寸借**サ**欺に遭いそうになった。
9 **フン**水のある大きな公園だ。
10 場の**フン**囲気にのまれた。

解答

1 析　2 跡　3 臓　4 贈　5 泊　6 迫　7 鎖　8 詐　9 噴　10 雰

11 全**プク**の信頼を置いている。
12 逃亡犯は都内に潜**プク**していた。
13 技術革新の恩**ケイ**を受ける。
14 就職後も音楽活動を**ケイ**続する。
15 起業の**テン**型的な失敗例を知る。
16 教師が作文を**テン**削する。
17 **ビ**翼は機体を安定させる。
18 ミジンコを顕**ビ**鏡で観察する。
19 中世の絵画の**シュウ**復を試みる。
20 川からの悪**シュウ**が問題となる。

解答

11 幅　12 伏　13 恵　14 継　15 典　16 添　17 尾　18 微　19 修　20 臭

21 抗議にも穏**ビン**に対応する。
22 俊**ビン**なプレーが評価される。

23 国家の英**ユウ**として名高い人物だ。
24 **ユウ**拐事件は無事に解決した。

25 目撃者は**チン**黙を守った。
26 全国の**チン**味を集めた催しだ。

27 首相が退**ジン**を表明した。
28 **ジン**速な対応を求められる。

29 先**パイ**からアドバイスを受けた。
30 年齢制限を撤**パイ**する。

31 大声を上げて相手を威**カク**した。
32 感染が疑われる家畜を**カク**離する。

33 唯一の**シュ**味は読書だ。
34 先人の**シュ**玉の言葉を心に刻む。

21 便 22 敏 23 雄 24 誘 25 沈 26 珍 27 陣 28 迅 29 輩 30 廃 31 嚇 32 隔 33 趣 34 珠

35 仕事を辞めて世界を放**ロウ**した。
36 自慢の歌声を披**ロウ**した。

37 国民栄**ヨ**賞を受賞する。
38 今月は家計に**ヨ**裕がない。

39 快晴にめぐまれ心が**ハズ**む。
40 競馬の予想が**ハズ**れる。

41 **コ**った仕掛けのおもちゃを作る。
42 料理に軽く**コ**げ目をつける。

43 ワインをしばらく**ネ**かしておく。
44 まだ構想を**ネ**っている段階だ。

45 昨年来、業績を**ノ**ばしている。
46 提出の期限を**ノ**ばしてもらう。

47 **ク**ちた大木が横たわっていた。
48 辞退者が出て当選が**ク**り上がる。

35 浪 36 露 37 誉 38 余 39 弾 40 外 41 凝 42 焦 43 寝 44 練 45 伸 46 延 47 朽 48 繰

Cランク

同音・同訓異字②

目標時間 25分

合格ライン 34点

得点 ／48

月　日

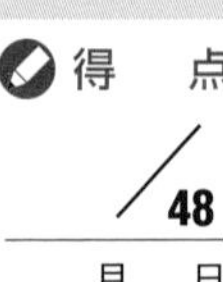

●次の――線のカタカナを漢字に直せ。

1 ベンチャーキ業に出資する。
2 本線から支線が分キする駅だ。
3 土壌汚センの調査をする。
4 セン水艇で海底を調査する。
5 今作品で一ヤク注目を浴びた。
6 予期せぬ災ヤクに見舞われる。
7 残念ながら敗戦はノウ厚だ。
8 苦ノウの末、同意した。
9 乾ソウ機から衣類を取り出す。
10 禅ソウが修行する寺だ。

解答

1 企
2 岐
3 染
4 潜
5 躍
6 厄
7 濃
8 悩
9 燥
10 僧

11 剣術の流ギを継承する。
12 便ギ上の仮称をつける。
13 話し合いの合意内容をリ行する。
14 患者を別の病棟に隔リする。
15 出掛ける支タクを始める。
16 光タクのある紙に印刷する。
17 年内に店ポを増やす予定だ。
18 自宅を担ポにして資金を借りる。
19 既に忘キャクされた出来事だ。
20 映画のキャク本家になりたい。

解答

11 儀
12 宜
13 履
14 離
15 度
16 沢
17 舗
18 保
19 却
20 脚

21 警察にヒ害届を提出した。
22 仕事でヒ労した体を休めた。
23 頑ジョウな扉で閉ざされている。
24 風邪の症ジョウを緩和する薬だ。
25 上司のスイ薦により昇格した。
26 美しい旋律に陶スイを覚えた。
27 図らずもゴウ泣してしまった。
28 ゴウ華な料理が並んでいる。
29 天プの才を生かして成功する。
30 好きな音楽家の新プを購入する。
31 遠セイ試合のために海外へ行く。
32 公演はセイ況のうちに終了した。
33 ソッ興で弾き語りを披露した。
34 安全のためソッ溝にふたをする。

C

21 被　22 疲　23 丈　24 状　25 推　26 酔　27 号　28 豪　29 賦　30 譜　31 征　32 盛　33 即　34 側

35 犯人の手口を模ホウする。
36 島は自然のホウ庫だった。
37 新たな派バツを作る動きがあった。
38 法律に違反して刑バツを受ける。
39 相手をアマく見て油断した。
40 増長ぶりが目にアマる。
41 強敵相手に果敢にセめた。
42 失敗続きの自分をセめた。
43 切ない思いを胸にヒめる。
44 降水量が少なく川がヒ上がる。
45 何もできず無力感にオソわれる。
46 昨夜は寝るのがオソくなった。
47 自分のあやまちをサトった。
48 易しい言葉で思い違いをサトした。

35 倣　36 宝　37 閥　38 罰　39 甘　40 余　41 攻　42 責　43 秘　44 干　45 襲　46 遅　47 悟　48 諭

A ランク

誤字訂正

●次の各文にまちがって使われている**同じ読みの漢字**が**一字**ある。**上に誤字**を、**下に正しい漢字**を記せ。

1 動物園の新たな業務として、希少動物の繁飾を進めることになった。

2 幼児期の教育が、基本的な人格の形成に大きな映響を与える。

3 コスト削減による慢性的な人員不足の中で、後系者育成が軽視されがちだ。

4 新たな健康診断が生活習慣病予防や健康意持のために実施された。

5 地球温暖化を防ぐための二酸化炭素削減対策は、以然として滞りがちだ。

6 日本の食糧自給率は先進国の中でも極めて低く、多くを輸入に委存している。

7 ロボットは今後、介護の現場等にも活役の場が広がることが期待される。

8 還境保護を売り物にした商品が流行しているが、中にはまがい物も多い。

9 国際的なコンクールで優勝した若きピアニストは、却光を浴びて有名人となった。

10 地域活性化のための温泉探しで、屈削作業を繰り返した。

11 基地移転問題をめぐる政府の方針転換に、多くの住民が攻議した。

12 短期の予定だった単身赴任が長引いて、アパートの賃貸契約を恒新した。

13 演奏会場での録音や撮営は全面的に禁止されるのが常だが、例外もある。

14 方針の過ちを指適したが、顧慮されることなく、強引に実行に移された。

目標時間 20分

合格ライン 24点

得点 ／34 月 日

解答

	1	2	3	4	5	6	7	8	9	10	11	12	13	14
誤	飾	映	系	意	以	委	役	還	却	屈	攻	恒	営	適
正	殖	影	継	維	依	依	躍	環	脚	掘	抗	更	影	摘

15 青少年による凶悪犯罪や親による児童虐待等、衝劇的な事件が後を絶たない。

16 ミステリードラマで面白いのは、犯人を特定する証固を見つけていく過程だ。

17 長引く不況の下で、若者たちの間に無力感が浸逃していくのが怖い。

18 かつては織衣産業で栄えた町だったが、今はすっかり寂れてしまった。

19 胆精こめて育ててきた桜が見事に咲き誇って、訪れる人を喜ばせている。

20 がんの手術後、薬物の投与や、放射線照射の治僚を続けている。

21 核兵器を搭栽した艦船の寄港が、秘密裏に行われていたと報道されている。

22 経済の自由化が進行する中で、弱者への配膚が必要となっている。

23 郊外型の大規模小売店の出店が町の商店街の衰退に迫車をかけた。

24 事務所移転に伴う荷物の版送には、大型トラックが必要だった。

25 家庭用電気製品の頒売合戦が過熱する中で、欠陥商品も生まれている。

26 温暖化により氷河がとけ大洪水の披害をもたらす可能性がある。

27 新型インフルエンザの感染率は高く、あちこちの学校で学級閉差が行われている。

28 築百年を超える家屋は老旧化が激しく、修復して保全することになった。

29 縄文時代の遺績から、当時の様子がわかる土偶や土器が見つかった。

30 脂防は重要なエネルギー源であるが、過剰にとれば生活習慣病を招きやすい。

31 優勝の祝賀会場で高揚した感情を抑勢し冷静な対応をするよう要請した。

32 アメリカに端を発した経済危期は、またたく間に世界中を巻き込んだ。

33 展覧会に出品するために、心食を忘れて作品づくりに打ち込んだ。

34 パソコンや携帯電話の急激な普求は、人間社会に大きな変化をもたらした。

15	16	17	18	19	20	21	22	23	24
劇	固	逃	衣	胆	僚	栽	膚	迫	版
↓	↓	↓	↓	↓	↓	↓	↓	↓	↓
撃	拠	透	維	丹	療	載	慮	拍	搬

25	26	27	28	29	30	31	32	33	34
頒	披	差	旧	績	防	勢	期	心	求
↓	↓	↓	↓	↓	↓	↓	↓	↓	↓
販	被	鎖	朽	跡	肪	制	機	寝	及

B ランク

誤字訂正①

●次の各文にまちがって使われている**同じ読みの漢字**が**一字**ある。**上に誤字**を、**下に正しい漢字**を記せ。

1 一時暗証に乗り上げた提携交渉だったが、条件を変更したことで結実した。

2 決戦を前に選手の緊張は高まり、ロッカールームは異様な奮囲気に包まれた。

3 県警は、道路交通法違反容疑で悪質な違反者を一斉に待捕した。

4 落語家の襲名秘露公演で有名な芸人が口上を述べ、会場を沸かせた。

5 子育て世帯の三人乗り自転車の向入に際し、区が費用の一部を助成する。

6 国民的人気歌手の突然の死去に対し、多くの人々が追倒の意を表明した。

7 組織の効率化と経費策減のために、業務を見直して改善を図る。

8 事故発生時の尽速な救助につなげるため本番さながらの真剣な訓練を行った。

9 小柄な力士が絶体絶命の窮地で観衆を味了する豪快な投げ技を決めた。

10 軽く体を動かすだけでも、主観的な幸福度が懸著に上昇するという。

11 研究に関する文件や資料を収集して分析し、独自の論を展開した。

12 戦前から活躍し、写真界の巨肖として世界中で知られている写真家だ。

13 りんごの味が濃厚な、果汁だけで作った発放性の果実酒が好評だ。

14 モバイル端末は今や生活に不可欠なものであり、従電器も常に携帯している。

目標時間 20分

合格ライン 24点

得点 /34 月 日

解答

	1	2	3	4	5	6	7	8	9	10	11	12	13	14
誤	証	奮	待	秘	向	倒	策	尽	味	懸	件	肖	放	従
	↓	↓	↓	↓	↓	↓	↓	↓	↓	↓	↓	↓	↓	↓
正	礁	雰	逮	披	購	悼	削	迅	魅	顕	献	匠	泡	充

15 感染症が疑われる患者の血液から、簡便に審断ができるようになった。

16 単なる現状分析ではなく大丹な発想の転換による具体的な解決策を提案する。

17 LED照明を使って屋内で水耕栽倍を行い、ハーブや薬物野菜を育てる。

18 大型書店が賃貸契約を更新せずに繁華街から徹退することを決めた。

19 広い駐車場を備え、地元の農産品を販売するほか休継スペースも併設する。

20 豪華出演者をそろえた話題の新作映画だったが評論家には告評された。

21 転職支援として裏歴書作成や面接対策に対応するカリキュラムを提供する。

22 大手銀行が印鑑使用の原則排止も含めて業務全般を見直すことに決めた。

23 地道な争査の結果、ついに麻薬の販売ルートを摘発することができた。

24 独自のスポーツ理論を提唱し、年齢に合わせた方法で実戦している。

---

25 息子を名乗って金をだまし取った詐偽事件に関わった男が警察署に出頭した。

26 都心部が濃霧に包まれ、霧に浮かぶ摩天楼が弦想的だと話題になった。

27 高気圧の影響で気温が上昇したため、市は熱中症への注意を感起した。

28 二十世紀を代表する彫刻家の大規模な回故展が開催されることになった。

29 スマートフォン使用の増加で運転中の操作が原因となる事故が賓発している。

30 人工衛星はロケットによって地球周回の基道上へ打ち上げられた。

31 体には病原体や異常細胞を識別して排除する免益システムが備わっている。

32 大型商業施設を建設する構想が立てられ、近隣の地価が高騰した。

33 坑道の放落により鉱山作業員が閉じ込められたが、全員無事に救出された。

34 経済的理由で進学が困難な生徒に対する給付型尚学金の導入を検討する。

15	16	17	18	19	20	21	22	23	24
審	丹	倍	徹	継	告	裏	排	争	戦
↓	↓	↓	↓	↓	↓	↓	↓	↓	↓
診	胆	培	撤	憩	酷	履	廃	捜	践

25	26	27	28	29	30	31	32	33	34
偽	弦	感	故	賓	基	益	謄	放	尚
↓	↓	↓	↓	↓	↓	↓	↓	↓	↓
欺	幻	喚	顧	頻	軌	疫	騰	崩	奨

B ランク

誤字訂正②

目標時間 20分
合格ライン 24点
得点 ／34 月 日

● 次の各文にまちがって使われている**同じ読みの漢字**が**一字**ある。**上に誤字**を、**下に正しい漢字**を記せ。

1 町おこしの一貫として、農林業や伝統産業に従事する若者を広く募集した。

2 ダウンロードした図版を教材に使用するにあたって、その異法性が問われた。

3 国民が望んでいることは、景気の回腹とあわせて、社会福祉の充実だ。

4 結果を出すことばかりが求められるが、その結果に至る課程こそが重要だ。

5 防犯用の看視カメラの導入については、人権面から反対する声も強い。

6 新しい住居は、耐震性も十分に配慮されて、頑錠な造りをしていた。

7 希抜な発想をいかに新商品の企画に結び付けていくかを思案する。

8 捕虜への日常的な虐対行為が発覚し、国際社会から糾弾された。

9 業績悪化を受けて、全従業員を対象にした販売、接客技術の研習会を開いた。

10 救急隊員の懸命な胸骨圧迫などの応急処置の結果、心臓は再び呼動を始めた。

11 伝統にとらわれない作品に大いに肢激を受け、新たな表現法を採り入れた。

12 小選挙区制の下では、得票率と締める議席数が必ずしも比例しない。

13 犯行に至るまでの悲惨な状況が考慮され情状酌料された判決となった。

14 景気の低鳴で従来の雇用制度が見直され、非正規労働者が増大していった。

解答

	1	2	3	4	5	6	7	8	9	10	11	12	13	14
誤	貫	異	腹	課	看	錠	希	対	習	呼	肢	締	料	鳴
正	環	違	復	過	監	丈	奇	待	修	鼓	刺	占	量	迷

15 事件の遺族への傍若無人な取財合戦が批判され、報道が規制された。

16 人工衛星を使って俊時に位置が分かるようになり、地図を持たないドライバーも多い。

17 消却処分のできない金属や陶器等の廃棄物は、不燃物として多くは埋め立てられる。

18 病院移転に伴い、新病棟への医療機器の搬入と入院看者の移送が完了した。

19 幼児期においては、知識偏重の教育よりも、遊びの中での情想教育を重視したい。

20 土手に生い茂った雑草の徐草は、学生たちに協力を求めた結果、短時日で終わった。

21 産業伸興の拠点として、閉鎖された工場を買い取り、共同経営することにした。

22 排出ガス規制の強化により、大気中の汚染物質の量は減少係向にある。

23 静弱を破って沸き上がった歓声と拍手はいつまでもやまなかった。

24 磨き上げられた技術とチームの連体感によって、ついに全国制覇を成し遂げた。

25 新入社員の採用に当たっては、年齢制限を設けず、速戦力となる経験者を募集した。

26 高総ビルが建ち並ぶ埋め立て地域では、地盤の強度も心配だ。

27 生誕百年記念の回顧展では、絵画から彫刻、陶芸まで多細な作品が展示された。

28 体の抵攻力を高めるためには、十分な休息のほかに適度な運動も必要である。

29 貧困に苦しむ地域に起きた大地震は、避災者を苦境におとしいれている。

30 幼い子のいる女性と再婚したので、新たに扶要家族として申請した。

31 豊かな森林育成のため適度な抜採を行って十分な日光を確保することが大切だ。

32 主要国首脳会議の開際に伴い、大規模な交通規制や周辺施設の閉鎖が行われた。

33 町の活性化のために企業誘置を試みたが、雇用創出には至らなかった。

34 新企画の論文募集に応募したが、論諮が不明確だとして、不合格になった。

15	16	17	18	19	20	21	22	23	24
財	俊	消	看	想	徐	伸	係	弱	体
↓	↓	↓	↓	↓	↓	↓	↓	↓	↓
材	瞬	焼	患	操	除	振	傾	寂	帯

25	26	27	28	29	30	31	32	33	34
速	総	細	攻	避	要	抜	際	置	諮
↓	↓	↓	↓	↓	↓	↓	↓	↓	↓
即	層	彩	抗	被	養	伐	催	致	旨

Aランク

送りがな

目標時間 25分
合格ライン 33点
得点 ／47
月 日

●次の――線のカタカナを漢字一字と送りがな（ひらがな）に直せ。

〈例〉問題に**コタエル**。 答える

1 浅はかな行動を**ハジル**。
2 規則違反を**イマシメ**られた。
3 かんで**フクメル**ように諭した。
4 喜びに目を**カガヤカ**せた。
5 **オソル**べき自然の猛威を実感した。
6 杯を**カタムケ**ながら語り合った。
7 大型店ができて商店街は**サビレ**た。
8 父の教えを胸に**タタミ**込んだ。
9 大雨で床上まで水に**ヒタッ**た。

解答
1 恥じる
2 戒め
3 含める
4 輝か
5 恐る
6 傾け
7 寂れ
8 畳み
9 浸っ

10 研ぎ**スマサ**れた感性の持ち主だ。
11 会長の座を**シメル**ことになった。
12 **モッパラ**発送作業に追われている。
13 催眠術で人の心を**アヤツル**。
14 店内は混雑して**サワガシカッ**た。
15 当時の記憶は大分**ウスレ**てしまった。
16 会社に賃上げを**セマル**。
17 師からは様々な恩恵を**コウムッ**た。
18 全財産を**ツイヤシ**て手に入れる。
19 柱は下の方が**クサッ**ていた。

解答
10 澄まさ
11 占める
12 専ら
13 操る
14 騒がしかっ
15 薄れ
16 迫る
17 被っ
18 費やし
19 腐っ

20 友人を**ツカマエ**ては自慢話をする。
21 先輩の**タノモシイ**態度が心強い。
22 生産高は昨年に**オトラ**ない。
23 画材を**アツカッ**ている店を探す。
24 山里で**カクレル**ようにして暮らす。
25 彼は**スルドイ**感性を持っている。
26 皆の意見を**フマエ**て決定する。
27 楽しい雰囲気が**コワサ**れてしまった。
28 行儀の悪さを**ナゲカワシク**思う。
29 **アマンジ**て批判を受ける。
30 トップ会談で話を**ツメル**。
31 過労が精神に**オヨボス**影響は大だ。
32 栄光の歴史は永遠に**クチル**ことはない。
33 **クルオシイ**までの思いに身を焦がす。

20 捕まえ
21 頼もしい
22 劣ら
23 扱っ
24 隠れる
25 鋭い
26 踏まえ
27 壊さ
28 嘆かわしく
29 甘んじ
30 詰める
31 及ぼす
32 朽ちる
33 狂おしい

34 社会を**オドロカス**事件が続発した。
35 先生の指示を**アオグ**。
36 駅まで全速力で**カケル**。
37 住居と店舗を**カネル**。
38 毎日練習しないと腕が**ニブル**。
39 **ホコラシク**胸を張って行進する。
40 友と再会して話が**ハズン**だ。
41 花粉症に**ナヤマサ**れる時期だ。
42 明日先生のお宅へ**ウカガイ**ます。
43 役所に不満を**ウッタエル**。
44 家の周囲に垣根を**メグラス**。
45 先生のご意見を**ウケタマワル**。
46 カーテンを**スカシ**て日差しが入る。
47 絵本を読んでから子供を**ネカシ**た。

34 驚かす
35 仰ぐ
36 駆ける
37 兼ねる
38 鈍る
39 誇らしく
40 弾ん
41 悩まさ
42 伺い
43 訴える
44 巡らす
45 承る
46 透かし
47 寝かし

送りがな

●次の――線のカタカナを漢字一字と送りがな（ひらがな）に直せ。

目標時間 25分
合格ライン 33点

〈例〉問題にコタエル。　答える

1 駅員に道を**タズネ**た。
2 二人を**ヘダテル**壁がある。
3 **アザヤカナ**色彩の絵を描く。
4 梅の古木が**カレル**。
5 いろいろな野菜を酢で**ツケル**。
6 適当に返事をしてお茶を**ニゴス**。
7 **ミニクイ**姿をさらしてしまった。
8 **ツタナイ**英語でもなんとかなった。
9 **ユルヤカナ**坂が続いている。

解答

1 尋ね
2 隔てる
3 鮮やかな
4 枯れる
5 漬ける
6 濁す
7 醜い
8 拙い
9 緩やかな

10 ファンの前で来季の優勝を**チカウ**。
11 温泉にゆっくりと身を**シズメ**た。
12 **メズラシク**彼が顔を見せた。
13 けが人に応急手当を**ホドコス**。
14 郷土の**ホマレ**とたたえられる。
15 自分のやり方を**ツラヌク**。
16 新たな事業を収益の柱に**スエル**。
17 経歴や年齢を**イツワル**。
18 前人未到の記録に**イドム**。
19 栄華を誇った建造物が**スタレル**。

解答

10 誓う
11 沈め
12 珍しく
13 施す
14 誉れ
15 貫く
16 据える
17 偽る
18 挑む
19 廃れる

20 **オカシ**た罪の罰を受ける。
21 寄付を募って運営費を**マカナウ**。
22 会社は多くの従業員を**カカエ**ている。
23 たばこの煙で部屋が**クサク**なる。
24 二人は**ナゴヤカニ**談笑している。
25 たった一分でも時間が**オシイ**。
26 視界を**サエギル**ものは何もない。
27 優しい音色が私を眠りに**サソウ**。
28 人に口出しされるのを**イヤガル**。
29 アイスピックで氷を**クダク**。
30 うちの犬は**カシコク**て従順だ。
31 失敗に**コリル**ことなくやり遂げる。
32 慰謝料を払い、罪を**ツグナッ**た。
33 あくまで世を**シノブ**仮の姿だ。

20 犯し
21 賄う
22 抱え
23 臭く
24 和やかに
25 惜しい
26 遮る
27 誘う
28 嫌がる
29 砕く
30 賢く
31 懲りる
32 償っ
33 忍ぶ

34 常識に**シバラ**れない発想をする。
35 靴のひもをきつく**ユワエル**。
36 山頂からの景色を**ナガメル**。
37 仕事が**イソガシク**て休めない。
38 食料が豊富で**ウエル**心配はない。
39 渇き切ったのどを**ウルオス**。
40 だれの手も**ワズラワサ**ない。
41 窓から入ってくる風が**スズシイ**。
42 救いの手をかたくなに**コバム**。
43 **ハナハダシイ**誤解をしていた。
44 食生活が乱れて栄養が**カタヨル**。
45 手を**タズサエ**て共に前進する。
46 洗面所の鏡を**ミガク**。
47 乗り気になれず返事を**シブル**。

34 縛ら
35 結わえる
36 眺める
37 忙しく
38 飢える
39 潤す
40 煩わさ
41 涼しい
42 拒む
43 甚だしい
44 偏る
45 携え
46 磨く
47 渋る

書き取り①

目標時間 25分

合格ライン 34点

得点 ／48 月 日

●次の――線の**カタカナ**を**漢字**に直せ。

1 運動の前に**ジュウナン**体操をする。
2 **アネッタイ**性の植物を育てる。
3 **カクシン**を突いた指摘をする。
4 現状の**ハアク**に努める。
5 **ショウゾウ**権の侵害を認める。
6 **チツジョ**を乱さぬよう気を付けた。
7 **ガンコ**で偏屈な人間だ。
8 反戦運動に**ショウガイ**をささげた。
9 犬がうなり声で**イカク**している。
10 ソビエト**レンポウ**は解体された。

解答

1 柔軟
2 亜熱帯
3 核心
4 把握
5 肖像
6 秩序
7 頑固
8 生涯
9 威嚇
10 連邦

11 弁当と**スイトウ**を持って出掛ける。
12 **オウベイ**からの観光客が増える。
13 技能試験が**メンジョ**される。
14 奇跡的に軽度の**ダボク**で済んだ。
15 迷惑メールの受信を**キョヒ**する。
16 診療**ホウシュウ**が改定される。
17 **ゴウカ**な衣装を身にまとった。
18 **キソ**練習を繰り返し行う。
19 **ダイタン**不敵な犯行だった。
20 バラの**ホウコウ**をかぐ。

解答

11 水筒
12 欧米
13 免除
14 打撲
15 拒否
16 報酬
17 豪華
18 基礎
19 大胆
20 芳香

21 歯列を**キョウセイ**する。
22 ペット**ドウハン**可のホテルを探す。
23 **カソ**の村の村おこしに成功する。
24 瓶に**セン**をして保存する。
25 屋上から町を**チョウボウ**する。
26 トンネルの**カンツウ**式が行われる。
27 血液は体内を**ジュンカン**している。
28 美術館で有名な**チョウコク**を見る。
29 **トウゲイ**教室でろくろを回した。
30 **イヤ**なことは早く忘れるに限る。
31 **ウ**えに苦しむ人々を救済する。
32 **ツ**りざおを持って川に行った。
33 気の**ユル**みが事故につながる。
34 悩みを抱える友を**ハゲ**ました。

21 矯正
22 同伴
23 過疎
24 栓
25 眺望
26 貫通
27 循環
28 彫刻
29 陶芸
30 嫌
31 飢
32 釣
33 緩
34 励

35 長年の夢を**クダ**かれた。
36 体調がようやくもとに**モド**る。
37 罪を**ツグナ**うことは難しい。
38 **シブ**い声の男性だった。
39 **アミダナ**に荷物を置き忘れた。
40 うそをつかないと**チカ**う。
41 失敗しても全く**コ**りない。
42 お湯が**ワ**いたのでお茶を入れた。
43 **オ**しまれながら最終回を迎える。
44 解決のために**ヒトハダ**脱いだ。
45 活動の**ワク**組みを定める。
46 担当者は**スデ**に帰っていた。
47 トーストにジャムを**ヌ**った。
48 部屋の**カタスミ**で息を潜める。

35 砕
36 戻
37 償
38 渋
39 網棚
40 誓
41 懲
42 沸
43 惜
44 一肌
45 枠
46 既
47 塗
48 片隅

書き取り②

目標時間 25分

合格ライン 34点

得点 ／48

月　日

●次の――線のカタカナを漢字に直せ。

1 外国人客が**メンゼイ**店を訪れる。
2 行きたい場所を**ラレツ**する。
3 携帯電話を**ボッシュウ**された。
4 友達と会ったのは**グウゼン**だ。
5 **ケイコウ**ペンで線を引く。
6 旧友と**ユカイ**な時間を過ごした。
7 同窓会と**メイ**打って仲間が集まる。
8 **コウテイ**的な意見が多数を占めた。
9 激辛のカレーに**チョウセン**した。
10 **フンイキ**のあるおしゃれな店だ。

解答

1 免税
2 羅列
3 没収
4 偶然
5 蛍光
6 愉快
7 銘
8 肯定
9 挑戦
10 雰囲気

11 目の**ショウテン**が合わない。
12 選手を代表して**センセイ**する。
13 **ソウダイ**な計画に驚いた。
14 急なトラブルに**ドウヨウ**する。
15 小児**ビョウトウ**に入院する。
16 彼は**センサイ**で傷つきやすい。
17 身分証明書を**ギゾウ**する。
18 **フキツ**な予感が頭をよぎる。
19 **イカン**なく実力を発揮する。
20 神社に絵馬を**ホウノウ**する。

解答

11 焦点
12 宣誓
13 壮大
14 動揺
15 病棟
16 繊細
17 偽造
18 不吉
19 遺憾
20 奉納

21 たるんだ態度を**イッカツ**された。
22 **ガクフ**を見ながらピアノを弾く。
23 互いの思惑が**コウサク**する。
24 **フウリン**の音色が涼やかだ。
25 **ネンド**を使って子供と遊んだ。
26 **ダトウ**な結論に落ち着く。
27 実験には**トクシュ**な装置が必要だ。
28 客の**キゲン**を損ねてしまった。
29 与えられた任務を**カンリョウ**する。
30 **ミサキ**に立つ灯台にのぼる。
31 予想外の訪問者に**アワ**てる。
32 夫婦の間に**ミゾ**ができる。
33 城の周りに**ホリ**を巡らす。
34 商店街が**スタ**れてしまった。

21 一喝
22 楽譜
23 交錯
24 風鈴
25 粘土
26 妥当
27 特殊
28 機嫌
29 完了
30 岬
31 慌
32 溝
33 堀
34 廃

35 隣の部屋に声が**ツツヌ**けだ。
36 **ハグキ**がはれて痛い。
37 **ウワグツ**を用意しておく。
38 背筋が**コオ**るような恐怖を味わう。
39 机を部屋の**スミ**に寄せておく。
40 天井から**アマモ**りがする。
41 台所に**タナ**をしつらえる。
42 学費は奨学金で**マカナ**った。
43 毎日同じものばかりで食べ**ア**きる。
44 思いがけない幸福に**ヨ**いしれる。
45 公私混同も**ハナハ**だしい。
46 転んでひざに**ス**り傷を作った。
47 蚕が**クワ**の葉を食べている。
48 健康のために酒を**ヒカ**えている。

35 筒抜
36 歯茎
37 上靴
38 凍
39 隅
40 雨漏
41 棚
42 賄
43 飽
44 酔
45 甚
46 擦
47 桑
48 控

書き取り③

目標時間 25分
合格ライン 34点
得点 ／48
月 日

● 次の――線のカタカナを漢字に直せ。

1 ルイケイ百万部を突破した。
2 貴重な古文書をチンレツする。
3 小型センパクの免許を取得する。
4 高学年はキバ戦を行った。
5 後輩の頼みをカイダクする。
6 厳しいケイバツが科せられた。
7 多くのギセイ者が出た災害だった。
8 シツドが高くて蒸し暑い日だ。
9 玄関にショウシュウ剤を置く。
10 都心からコウガイに引っ越す。

解答
1 累計
2 陳列
3 船舶
4 騎馬
5 快諾
6 刑罰
7 犠牲
8 湿度
9 消臭
10 郊外

11 カンカツの警察署に相談に行く。
12 エキショウテレビを買う。
13 納豆はハッコウ食品だ。
14 世界の原油のマイゾウ量を調べる。
15 海の幸や山の幸をマンキツする。
16 ヨジョウ金を寄付する。
17 ヨレイが鳴ったので教室に入った。
18 ユイイツの趣味はギター演奏だ。
19 患部のエンショウを和らげる薬だ。
20 搾りたてのカジュウを飲む。

解答
11 管轄
12 液晶
13 発酵
14 埋蔵
15 満喫
16 余剰
17 予鈴
18 唯一
19 炎症
20 果汁

21 **カビン**にカーネーションを挿した。
22 **キガ**に苦しむ子供たちを助ける。
23 都会に**ゲンソウ**を抱いていた。
24 政治**リンリ**の確立が叫ばれている。
25 **ムボウ**な挑戦をやめさせる。
26 年老いた両親を**フヨウ**する。
27 詐欺容疑で**タイホ**された。
28 期待感から株価が**キュウトウ**する。
29 うわさの**ゴウテイ**を訪問する。
30 久々の雨が田畑を**ウルオ**す。
31 **カ**は人や動物の血を吸う。
32 カミソリの**ハ**を交換する。
33 高級な**シモフ**り肉をいただいた。
34 沿道の**ヤナギ**の木が倒れた。

21 花瓶
22 飢餓
23 幻想
24 倫理
25 無謀
26 扶養
27 逮捕
28 急騰
29 豪邸
30 潤
31 蚊
32 刃
33 霜降
34 柳

35 頂からの**ナガ**めはすばらしかった。
36 **ハ**いていた靴下を脱ぐ。
37 畑の**ウネ**に野菜の種をまいた。
38 好奇心の**カタマリ**のような人だ。
39 のどが**カワ**いたので麦茶を飲む。
40 草むらから**ホタル**が飛び立った。
41 塩で**ツ**けた野菜を食卓に出す。
42 実家では**ネコ**を三匹飼っている。
43 会議は**ドロヌマ**の様相を呈した。
44 結婚指輪の内側に名前を**ホ**る。
45 我が家では毎日六合の米を**タ**く。
46 働いて学費を**カセ**いだ。
47 **エリ**を正して師匠の話を伺う。
48 **ウルシ**で皮膚がかぶれた。

35 眺
36 履
37 畝
38 塊
39 渇
40 蛍
41 漬
42 猫
43 泥沼
44 彫
45 炊
46 稼
47 襟
48 漆

書き取り④

目標時間 25分
合格ライン 34点
得点 ／48
月　日

●次の――線の**カタカナ**を**漢字**に直せ。

1 海氷が**ショウメツ**する虞がある。
2 積極的にビタミンを**セッシュ**する。
3 雪の**ケッショウ**を観察した。
4 文明**ハッショウ**の地として有名だ。
5 水道管を**マイセツ**する工事だ。
6 巻末には**サクイン**がついている。
7 監督就任を**ジュダク**した。
8 近所で**イシュウ**騒ぎがあった。
9 会社から突然**カイコ**された。
10 顧客の要望に**ジンソク**に対応する。

解答
1 消滅
2 摂取
3 結晶
4 発祥
5 埋設
6 索引
7 受諾
8 異臭
9 解雇
10 迅速

11 町と村が**ガッペイ**して市になる。
12 なにかと**イツワ**の多い人物だ。
13 新しい学習法を**ジッセン**する。
14 患者との意思の**ソツウ**を重視する。
15 巨大プロジェクトを**カンスイ**した。
16 気温は午後から**ジョウショウ**した。
17 本国に強制**ソウカン**される。
18 街頭で**ボキン**活動を行う。
19 美の**ガイネン**について考察する。
20 地域の**ホウシ**活動に参加する。

解答
11 合併
12 逸話
13 実践
14 疎通
15 完遂
16 上昇
17 送還
18 募金
19 概念
20 奉仕

21 **マッチャ**を入れたケーキを作る。
22 ごみの**サクゲン**に努める。
23 **モウドウケン**の訓練士になる。
24 会長が辞意を**テッカイ**した。
25 職場での**タイグウ**改善を要求する。
26 宝石の美しさに**ミリョウ**される。
27 企業間の**コウショウ**が決裂した。
28 現在の貨幣価値に**カンサン**する。
29 **ヤバン**な振る舞いにあきれる。
30 毎日、**ハダ**の保湿は欠かさない。
31 とんだ**サルシバイ**を見せられた。
32 最後まで自分のやり方を**ツラヌ**く。
33 電車内でお年寄りに席を**ユズ**った。
34 戦没者を**トムラ**う慰霊碑を建てる。

21 抹茶
22 削減
23 盲導犬
24 撤回
25 待遇
26 魅了
27 交渉
28 換算
29 野蛮
30 肌
31 猿芝居
32 貫
33 譲
34 弔

35 会長の言葉で会を**シ**めくくった。
36 子供のために風船を**フク**らます。
37 水が透明で**アサセ**に魚が見える。
38 入り**エ**にボートを浮かべる。
39 **シオヅ**けにした肉を料理に使う。
40 雨に備えて**カサ**を持ってきた。
41 計画はもろくも**クズ**れ去った。
42 カーテンで日差しを**サエギ**る。
43 手が**シモヤ**けになって痛い。
44 もちを入れた**シルコ**が好物だ。
45 二百**ツボ**の土地を相続した。
46 高性能、**カ**つ安価な品を探す。
47 **クチビル**が乾燥して切れる。
48 強風でつり橋が**ユ**れる。

35 締
36 膨
37 浅瀬
38 江
39 塩漬
40 傘
41 崩
42 遮
43 霜焼
44 汁粉
45 坪
46 且
47 唇
48 揺

書き取り⑤

目標時間 25分
合格ライン 34点
得点 ／48
月　日

● 次の――線のカタカナを漢字に直せ。

1 明け方にカゲンの月を見た。
2 台所のジョウスイ器を取り替える。
3 逸材を生み出すドジョウがある。
4 社内闘争に敗れてサセンされた。
5 地域のセイソウ活動に参加する。
6 わなはコウミョウに仕組まれた。
7 ジュウジツした日々を過ごしている。
8 戦地から故国にキカンした。
9 ケンメイの救助が続いている。
10 タクエツした手腕を見せる。

解答
1 下弦
2 浄水
3 土壌
4 左遷
5 清掃
6 巧妙
7 充実
8 帰還
9 懸命
10 卓越

11 外来種が自然界のキンコウを崩す。
12 ニンプ健診のために病院に行く。
13 現政権へ国民のシンパンがくだる。
14 話題の店にチョウダの列ができる。
15 ニンタイ強く交渉を重ねた。
16 暑さで体力をショウモウする。
17 合格したとのキッポウが届いた。
18 サツバツとした風景が続いている。
19 自身のソウゼツな体験を語る。
20 ドウサツ力に優れている。

解答
11 均衡
12 妊婦
13 審判
14 長蛇
15 忍耐
16 消耗
17 吉報
18 殺伐
19 壮絶
20 洞察

21 賃料を払うよう**トクソク**された。
22 **キッサ**店で待ち合わせる。
23 最近は専ら**ハッポウ**酒を飲む。
24 大切な書類を**フンシツ**する。
25 手の**コウ**で涙をぬぐった。
26 正式に結婚の**ショウダク**を得る。
27 自衛隊の出動を**ヨウセイ**する。
28 食品**ハイキ**物を減らす。
29 あらゆる国を**ホウロウ**した。
30 臨時のアルバイトを**ヤト**う。
31 **ツツシ**んで御礼を申し上げます。
32 **ウ**もれた人材を掘り起こす。
33 腹を**ス**えて難事業に取り組む。
34 詳しい話は**フ**せておいてほしい。

21 督促
22 喫茶
23 発泡
24 紛失
25 甲
26 承諾
27 要請
28 廃棄
29 放浪
30 雇
31 謹
32 埋
33 据
34 伏

35 パーティーが**モヨオ**された。
36 新たな目標に**イド**んだ。
37 ドアに指を**ハサ**んで骨折した。
38 **クジラ**の模型が展示されている。
39 晩飯は**スブタ**を作って食べた。
40 大学に行って専門性を**ミガ**いた。
41 深い海の底に**モグ**っていく。
42 **タツマキ**によって家屋が損壊した。
43 道を**ヘダ**てて図書館がある。
44 乱れた**エリモト**を正す。
45 体の**オトロ**えを痛感する。
46 **シモバシラ**を踏みながら登校する。
47 **ベツムネ**に案内される。
48 朝晩は**スズ**しくなってきた。

35 催
36 挑
37 挟
38 鯨
39 酢豚
40 磨
41 潜
42 竜巻
43 隔
44 襟元
45 衰
46 霜柱
47 別棟
48 涼

書き取り⑥

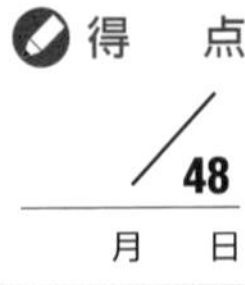

●次の——線のカタカナを漢字に直せ。

1 海外では**モホウ**品に注意が必要だ。
2 由緒ある**リョウテイ**に招かれた。
3 敵の**チョウハツ**に乗ってしまう。
4 一陣の**センプウ**が巻き起こった。
5 **ショクタク**にごちそうが並ぶ。
6 雅楽で**カンゲン**の調べを聴く。
7 会員登録を**マッショウ**する。
8 賃貸**ケイヤク**書を取り交わす。
9 **サイボウ**が分裂を繰り返す。
10 遭難者が奇跡的に**セイカン**した。

解答
1 模倣
2 料亭
3 挑発
4 旋風
5 食卓
6 管弦
7 抹消
8 契約
9 細胞
10 生還

11 各地の代表が**ハケン**を争う。
12 他の疾患であると**ゴシン**された。
13 **スイソウ**でカメを飼っている。
14 彼女は自由**ホンポウ**な性格だ。
15 勝利の**エイカン**を手にした。
16 **バンソウ**なしで歌を歌う。
17 **センタク**物がなかなか乾かない。
18 **ヤッカイ**事を引き受けてしまった。
19 人前で話すのは**キンチョウ**する。
20 楽曲の**フメン**を台に載せる。

解答
11 覇権
12 誤診
13 水槽
14 奔放
15 栄冠
16 伴奏
17 洗濯
18 厄介
19 緊張
20 譜面

21 銀行に**ユウシ**を申し込む。
22 皇帝への**エッケン**が許される。
23 どちらも**コウオツ**つけがたい。
24 割ったガラスを**ベンショウ**した。
25 社内メールを無断で**エツラン**する。
26 客人はご**マンエツ**のようだ。
27 日本**コクセキ**を取得した選手だ。
28 日に焼けた**カッショク**の肌だ。
29 建物は高い**ヘイ**に囲まれている。
30 酒宴の締めに**チャヅ**けを頼んだ。
31 責任の所在が**タナア**げされていた。
32 恥を**シノ**んで不明な点を尋ねた。
33 興奮の**ウズ**に巻き込まれる。
34 **ナグ**り合いのけんかになった。

21 融資
22 謁見
23 甲乙
24 弁償
25 閲覧
26 満悦
27 国籍
28 褐色
29 塀
30 茶漬
31 棚上
32 忍
33 渦
34 殴

35 家の周りに**カキネ**を巡らした。
36 **アカツキ**の光が差し込んできた。
37 **コ**ったデザインの帽子をかぶる。
38 お祝いの言葉を**タマワ**った。
39 **トビラ**を静かに開けて中に入った。
40 後輩たちに**シタ**われていた。
41 結果につながった努力を**ホ**めた。
42 **イオウ**を使って実験をする。
43 雪道で**スベ**って転んだ。
44 人々の目を**アザム**いた。
45 **サムライ**が出てくる映画だ。
46 **カラクチ**の感想を付け加えた。
47 大きな**フクロ**に荷物を詰めた。
48 名工が刀を**キタ**える。

35 垣根
36 暁
37 凝
38 賜
39 扉
40 慕
41 褒
42 硫黄
43 滑
44 欺
45 侍
46 辛口
47 袋
48 鍛

B ランク

書き取り①

目標時間 25分

合格ライン 34点

得点 ／48

月　日

●次の——線のカタカナを漢字に直せ。

1 鮮魚売り場で魚を**ギンミ**する。
2 青春小説の**ケッサク**と言われる。
3 他とは**ケンチョ**な違いがあった。
4 パソコン業務で目を**コクシ**する。
5 **シッコク**のやみと静寂に包まれる。
6 じんましんの**ショウジョウ**が出る。
7 政権の**チュウスウ**に身を置く。
8 乾いた衣類を**テイネイ**に畳んだ。
9 **ヘンケン**は無知によって生まれる。
10 **ベンギ**上、仮の名前を付けた。

解答

1 吟味
2 傑作
3 顕著
4 酷使
5 漆黒
6 症状
7 中枢
8 丁寧
9 偏見
10 便宜

11 **サンガク**地帯を列車が通る。
12 父の部長への**ショウシン**を祝う。
13 市と企業が協定を**テイケツ**する。
14 強い相手にも**カカン**に立ち向かう。
15 体が**ビョウマ**にむしばまれる。
16 キャンペーンを**ジッシ**する。
17 **カダン**にチューリップを植えた。
18 仕事の合間に**キュウケイ**する。
19 他人の失敗にも**カンヨウ**になった。
20 アレルギー性の**シッカン**がある。

解答

11 山岳
12 昇進
13 締結
14 果敢
15 病魔
16 実施
17 花壇
18 休憩
19 寛容
20 疾患

21 裏の畑で野菜を**サイバイ**している。
22 現場で**ジュウセイ**が鳴り響いた。
23 行方不明者の**ソウサク**が続いた。
24 会社に出す**リレキ**書を書いた。
25 **カンサン**とした商店街を歩いた。
26 **コンブ**を水につけてだしを取る。
27 寺で**ザゼン**の体験をした。
28 **テツヤ**して絵を完成させた。
29 **バンシャク**でビールを一杯飲む。
30 長い時間を経て心の傷も**イ**えた。
31 卵の**カラ**をむくのに時間がかかる。
32 何度も説明するのが**ワズラ**わしい。
33 先方の無理な要求を**コバ**んだ。
34 メダカの水槽に**モ**が発生した。

21 栽培　22 銃声　23 捜索　24 履歴　25 閑散　26 昆布　27 座禅　28 徹夜　29 晩酌　30 癒　31 殻　32 煩　33 拒　34 藻

35 火は両隣の二**ムネ**に燃え移った。
36 一年間の努力が水の**アワ**となった。
37 惜しくも優勝を逃し**ク**いが残った。
38 仕事をせずに**ナマ**けてばかりだ。
39 涙を流している友を**ナグサ**める。
40 相手をにらみつけて**オド**す。
41 新曲の発表を待ち**コ**がれる。
42 裏切り者への**ニク**しみが消えない。
43 別のことを考えて不安を**マギ**らす。
44 お**コト**の演奏を披露した。
45 **ツタナ**い英語で思いを伝えた。
46 **ウラカゼ**が心地よい海辺を歩く。
47 縄文時代の**カイヅカ**の跡がある。
48 **ホラアナ**の奥は真っ暗だった。

35 棟　36 泡　37 悔　38 怠　39 慰　40 脅　41 焦　42 憎　43 紛　44 琴　45 拙　46 浦風　47 貝塚　48 洞穴

B 書き取り①

B ランク 書き取り②

目標時間 25分
合格ライン 34点
得点 ／48
月 日

● 次の――線のカタカナを漢字に直せ。

1 有名な**カヨウ**曲を口ずさむ。
2 書類を書き直した**ケイセキ**がある。
3 合格した喜びで**カンルイ**にむせぶ。
4 小説を**キャクショク**したドラマだ。
5 スピードを**セイギョ**できない。
6 塀が少し**ケイシャ**している。
7 力を**コジ**するとうとんじられる。
8 十時前後には**シュウシン**している。
9 洪水で**テイボウ**が決壊した。
10 **トウトツ**な話題に戸惑う。

解答
1 歌謡
2 形跡
3 感涙
4 脚色
5 制御
6 傾斜
7 誇示
8 就寝
9 堤防
10 唐突

11 通信**ハンバイ**の会社で働く。
12 次の**シュンカン**には姿を消した。
13 事の**ホッタン**を明らかにする。
14 客の苦情には**キビン**に対処する。
15 火災を**ケイカイ**して見回る。
16 小説の**シッピツ**に取りかかる。
17 地元民との**ソウゴ**理解を図る。
18 祖父は**ニュウワ**な人柄だった。
19 政治が**フハイ**した世の中を憂える。
20 使用した資料は**ヘンキャク**した。

解答
11 販売
12 瞬間
13 発端
14 機敏
15 警戒
16 執筆
17 相互
18 柔和
19 腐敗
20 返却

21 紙面の都合で一部**カツアイ**する。
22 優秀な科学者を**ハイシュツ**した。
23 会員の意向を**ハイリョ**する。
24 設置費用は**ベット**必要となる。
25 運転免許証を**コウシン**した。
26 **アンモク**の了解を得た。
27 **イセイ**のいい掛け声で応援する。
28 光は水中で**クッセツ**する。
29 **シンミョウ**な顔で話を聞いていた。
30 多くの人が祭りに**ク**りだした。
31 冷蔵庫の中の食品を食べ**ツ**くす。
32 水が**ス**んでいて湖底まで見える。
33 興行収入は**ノキナ**み低迷している。
34 年初に家内安全を**イノ**った。

21 割愛 22 輩出 23 配慮 24 別途 25 更新 26 暗黙 27 威勢 28 屈折 29 神妙 30 繰 31 尽 32 澄 33 軒並 34 祈

35 湯気がガラス戸を**クモ**らす。
36 事件の影響は多方面に**オヨ**んだ。
37 天候不順で試合日程が**クル**う。
38 今後の方針を**メグ**って議論した。
39 重要なことを胸に**タタ**み込む。
40 全力で走ると息が**ハズ**む。
41 山あいの宿に夕やみが**セマ**る。
42 友人を**タヨ**って上京する。
43 管理人が常時**ツ**めている。
44 専門家の指導を**アオ**ぐ。
45 振る舞いが**シバイ**がかっている。
46 これ以上事を**アラダ**てたくはない。
47 険しい**ミネ**が行く手をはばむ。
48 日本ではまだなじみが**ウス**い。

35 曇 36 及 37 狂 38 巡 39 畳 40 弾 41 迫 42 頼 43 詰 44 仰 45 芝居 46 荒立 47 峰 48 薄

書き取り③

●次の――線のカタカナを漢字に直せ。

1 世間のゾクセツは信じない。
2 ロボウの案内板で登山道を示す。
3 大会クッシの得点力で勝った。
4 先の発言についてシャクメイした。
5 シャセンを引いて誤りを正す。
6 警官隊が現場にトツニュウした。
7 都市は大いにハンエイした。
8 家族旅行のためにキュウカを取る。
9 ヒガンの中日に墓参した。
10 活火山がフンエンを上げる。

解答

1	2	3	4	5	6	7	8	9	10
俗説	路傍	屈指	釈明	斜線	突入	繁栄	休暇	彼岸	噴煙

11 子供のイリョウ費助成を拡大する。
12 新市場のカイタクに努める。
13 山頂からの眺めにキョウタンした。
14 他の役職もケンムする。
15 コチョウした表現の文章を書く。
16 賛成派に回ったコンキョを示す。
17 消費者からの注文がサットウした。
18 論旨はシュビ一貫している。
19 めざましいヤクシンを遂げた。
20 塑像をタンネンに仕上げる。

解答

11	12	13	14	15	16	17	18	19	20
医療	開拓	驚嘆	兼務	誇張	根拠	殺到	首尾	躍進	丹念

目標時間 25分

合格ライン 34点

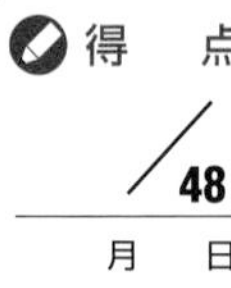

得点 ／48 月 日

21 祖父は**ケンキャク**が自慢だ。
22 **ツウレツ**な一撃で逆転した。
23 反対陣営から**ドゴウ**が飛ぶ。
24 今年度の会費を**チョウシュウ**する。
25 **ボンジン**にはできない偉業である。
26 食事を**ボン**に載せて運ぶ。
27 昼時で食堂は**マンパイ**だった。
28 親が子に**モハン**を示す。
29 経営**シュワン**に優れている。
30 子供の不安を**ヤワ**らげようとする。
31 江戸時代に造られた**ツツミ**だ。
32 登山隊を雪崩が**オソ**った。
33 血を**ハ**くような努力を重ねてきた。
34 畳の上にふとんを**シ**く。

21	22	23	24	25	26	27	28	29	30	31	32	33	34
健脚	痛烈	怒号	徴収	凡人	盆	満杯	模範	手腕	和	堤	襲	吐	敷

B
書き取り③

35 完成品を**サラ**に点検して出荷した。
36 **メス**の子犬を飼うことになった。
37 中世の**オモムキ**のある塔だ。
38 **モッパ**ら練習に励む日々だ。
39 忙しくて年賀状を出し**ソコ**なう。
40 弱気になって決心が**ニブ**る。
41 上品な**モノゴシ**の女性だ。
42 介護を要する家族を**カカ**えている。
43 企画は**ニツ**まってきた。
44 意表をついた作戦で敵を**マド**わす。
45 日めくりの**コヨミ**を使っている。
46 給料の**イク**らかを小遣いにする。
47 親の忠告に**ソム**いたことを悔いる。
48 昔は**ジャリ**道が普通だった。

35	36	37	38	39	40	41	42	43	44	45	46	47	48
更	雌	趣	専	損	鈍	物腰	抱	煮詰	惑	暦	幾	背	砂利

B ランク

書き取り④

目標時間 25分

合格ライン 34点

得点 /48

月 日

● 次の――線のカタカナを漢字に直せ。

1 予想外のハンキョウを呼ぶ。
2 商品を倉庫にハンニュウした。
3 ボウシを取って頭を下げる。
4 航路のリョカク運賃を改める。
5 公園のイジ管理を任されている。
6 旧友の音楽活動をオウエンする。
7 長い航海の安全をキネンする。
8 後半からギャクシュウに転じた。
9 豪華なキュウデンが公開された。
10 権威にはゲイゴウしない。

解答

1 反響
2 搬入
3 帽子
4 旅客
5 維持
6 応援
7 祈念
8 逆襲
9 宮殿
10 迎合

11 チョウヤク競技に出場する。
12 石炭のサイクツで栄えた町だ。
13 ビジネスホテルにシュクハクする。
14 ジョバンの戦いは有利に展開した。
15 ビンワン刑事が登場するドラマだ。
16 シキサイ豊かな絵画を鑑賞する。
17 地方をキョテンとして活動する。
18 シンライできる医師に出会った。
19 今はまだ市場を形成するカトキだ。
20 センパイの助言に従って練習する。

解答

11 跳躍
12 採掘
13 宿泊
14 序盤
15 敏腕
16 色彩
17 拠点
18 信頼
19 過渡期
20 先輩

21 公開に向けて**エイイ**準備中だ。
22 辺りには**ノウム**が立ちこめている。
23 現在の正直な心境を**トロ**する。
24 代金を**ブンカツ**して支払う。
25 探査機が小惑星に**トウタツ**する。
26 **ホソウ**されていない道路が続く。
27 左手より右手の**アクリョク**が強い。
28 しばらく自宅で**リョウヨウ**する。
29 社会を**フウシ**した漫画を描く。
30 自説に固執して視野が**セバ**まる。
31 **サワ**伝いに歩き、滝の下に出た。
32 トンネルを**ヌ**けると雪原だった。
33 悩んでいる**ヒマ**などなかった。
34 高齢化が進み町は**サビ**れた。

21 鋭意
22 濃霧
23 吐露
24 分割
25 到達
26 舗装
27 握力
28 療養
29 風刺
30 狭
31 沢
32 抜
33 暇
34 寂

35 落とした財布を**チマナコ**で捜す。
36 五百年の伝統を**ホコ**る産業を守る。
37 果物の**ハコヅ**め作業に携わる。
38 両者負けず**オト**らずの接戦だった。
39 講演会で**エラ**い人の話を聴く。
40 沿道には**イクエ**も人垣ができた。
41 キュウリの**メバナ**が咲いている。
42 **イナズマ**のあと、雷鳴がとどろく。
43 祖母は大きな**ヤシキ**に住んでいた。
44 彼女は**オソ**らくもう来ないだろう。
45 なぜか**ムナサワ**ぎがして眠れない。
46 人形を巧みに**アヤツ**る。
47 同級生に**アワ**い恋心を抱いていた。
48 郷土の**ホマ**れと言われる。

35 血眼
36 誇
37 箱詰
38 劣
39 偉
40 幾重
41 雌花
42 稲妻
43 屋敷
44 恐
45 胸騒
46 操
47 淡
48 誉

Cランク

書き取り①

目標時間 25分

合格ライン 34点

得点 ／48

月 日

●次の――線のカタカナを漢字に直せ。

1 生活に困っている人をエンゴする。
2 社会福祉制度のオンケイに浴する。
3 筆跡カンテイで犯人を割り出す。
4 歴史のコドウを感じる土地だ。
5 トウコウした文章が雑誌に載る。
6 チームの結成にジンリョクする。
7 雨水をシントウさせる舗装技術だ。
8 冬の川でタイカン水泳を行う。
9 飛行機のビヨクが故障する。
10 酒宴の客をチンミでもてなす。

解答

1 援護
2 恩恵
3 鑑定
4 鼓動
5 投稿
6 尽力
7 浸透
8 耐寒
9 尾翼
10 珍味

11 ロンシが明快な記事だ。
12 災害時のヒツジュ品を身近に置く。
13 凶悪事件がレンサ的に起きる。
14 週に二回はゲンマイを食べている。
15 データのヨウトを明確にする。
16 文章のボウトウの一文を工夫する。
17 人のオウライがまばらな商店街だ。
18 遠方からの客をカンゲイする。
19 キョウレツな打球が外野に飛んだ。
20 映画のキャクホンを書き直す。

解答

11 論旨
12 必需
13 連鎖
14 玄米
15 用途
16 冒頭
17 往来
18 歓迎
19 強烈
20 脚本

21 太陽系外の**ワクセイ**を確認する。
22 点数に**キョクタン**な差がある。
23 毎年教え子からお**セイボ**が届く。
24 慣れない家事と毎日**カクトウ**する。
25 目を閉じて**モクソウ**にふける。
26 **ハクシン**の演技が称賛された。
27 外国勢がメダルを**ドクセン**した。
28 交渉の**ケイイ**を説明する。
29 自然は**コウキュウ**不変ではない。
30 父は**ヨワタ**りはへただが実直だ。
31 茂った庭木の小枝を**ハラ**う。
32 陶器の花瓶が**コワ**れてしまった。
33 自然のふところに**イダ**かれて育つ。
34 入院中の祖母を**ミマ**う。

21 惑星
22 極端
23 歳暮
24 格闘
25 黙想
26 迫真
27 独占
28 経緯
29 恒久
30 世渡
31 払
32 壊
33 抱
34 見舞

35 **カラクサ**模様の包装紙を買う。
36 交差点の向こうは**ミチハバ**が広い。
37 **トウゲ**の茶屋で一服した。
38 批判の**ホコサキ**を転じる。
39 庭木の花に**ヨツユ**が光っている。
40 昔の**イネカ**りは重労働だった。
41 偉大な創業者の志を**ツ**ぐ。
42 首相が外務大臣を**カ**ねていた。
43 池の周囲に**カナアミ**を張り巡らす。
44 **テガタ**く商売をしている。
45 重要な役目を**フ**られて緊張する。
46 **モモ**の皮をむいて食べる。
47 **セタケ**が伸びて服が小さくなった。
48 日光を避け**カゲボ**しにする。

35 唐草
36 道幅
37 峠
38 矛先
39 夜露
40 稲刈
41 継
42 兼
43 金網
44 手堅
45 振
46 桃
47 背丈
48 陰干

C ランク

書き取り②

目標時間 25分

合格ライン 34点

得点 ／48

月　日

● 次の――線のカタカナを漢字に直せ。

1 二人の見解が**ガッチ**した。
2 一躍**キャッコウ**を浴びた人物だ。
3 販売権を**ケイショウ**する。
4 海難現場に**ジュンシ**船が向かう。
5 **ケンジツ**な生き方をする人だ。
6 両者の力量を**ヒカク**する。
7 世界同時**フキョウ**の徴候がある。
8 無断**ガイハク**をしてしかられた。
9 黒い石と白い石を**コウゴ**に並べる。
10 演劇用に**ギキョク**化した作品だ。

解答

1 合致
2 脚光
3 継承
4 巡視
5 堅実
6 比較
7 不況
8 外泊
9 交互
10 戯曲

11 過食は肥満の**ゲンキョウ**だ。
12 四百字詰め**ゲンコウ**用紙を使う。
13 町の教会で**コンレイ**を行う。
14 小説の**レンサイ**が始まる。
15 相手チームの**ケントウ**をたたえる。
16 容疑者の**シモン**が検出された。
17 **センド**のよい魚を仕入れている。
18 偉大な先人の**ソクセキ**をたどる。
19 優秀な同期に**タイコウ**心を燃やす。
20 チームは**テッペキ**の守備力を誇る。

解答

11 元凶
12 原稿
13 婚礼
14 連載
15 健闘
16 指紋
17 鮮度
18 足跡
19 対抗
20 鉄壁

21 ゴールに向かって**トッシン**した。
22 違反をすると**バッキン**が科される。
23 **ラクライ**を伴う豪雨が続いている。
24 **ネッキョウ**的なファンが殺到する。
25 潜水艦が海面に**フジョウ**する。
26 常に**レットウ**感にさいなまれた。
27 色の**ノウタン**で表現する。
28 休息して**ヒロウ**の回復に努める。
29 過去の出来事を**ボウキャク**する。
30 昔は**カタハバ**が広い服を着ていた。
31 **ケモノミチ**しかないような山中だ。
32 **イクタ**の試練を克服してきた。
33 **オウギ**を手に舞い始めた。
34 **トナリ**の町まで買い物に行く。

21 突進
22 罰金
23 落雷
24 熱狂
25 浮上
26 劣等
27 濃淡
28 疲労
29 忘却
30 肩幅
31 獣道
32 幾多
33 扇
34 隣

35 自らを**イマシ**めて節制する。
36 **フク**みを持たせた言い方をする。
37 昼食後についつい**イネム**りしてしまう。
38 晴れて入学式の朝を**ムカ**えた。
39 **クサリ**のついた懐中時計を持つ。
40 一族の**ウジガミ**に酒を奉納する。
41 お年を**メ**した婦人を案内する。
42 解説が**クワ**しくて理解しやすい。
43 混雑を**サ**けて早朝に出勤する。
44 ズボンの**タケ**を短くした。
45 目つきが**スルド**い男ににらまれた。
46 教育格差の解消を**サケ**ぶ。
47 地下資源に**メグ**まれた国だ。
48 子供たちの目が**カガヤ**いていた。

35 戒
36 含
37 居眠
38 迎
39 鎖
40 氏神
41 召
42 詳
43 避
44 丈
45 鋭
46 叫
47 恵
48 輝

C ランク

書き取り③

目標時間	25分
合格ライン	34点
得点	/48
月 日	

●次の——線の**カタカナ**を**漢字**に直せ。

1 長年の研究に**リッキャク**した論だ。
2 不正取引の**ギワク**を解明する。
3 再会して**キンキョウ**を伝え合う。
4 ほぼ**ゴカク**の戦いとなった。
5 **シュコウ**を凝らして客をもてなす。
6 代々家業を**セシュウ**してきた。
7 余計な一言で怒りが**ゾウフク**する。
8 **ホッサ**的に笑いがこみ上げた。
9 古墳には**トウクツ**の形跡があった。
10 **トッピョウシ**もないことを言った。

解答
1 立脚 2 疑惑 3 近況 4 互角 5 趣向 6 世襲 7 増幅 8 発作 9 盗掘 10 突拍子

11 違反者への**バッソク**を定めた。
12 **ビリョク**ながらお手伝いします。
13 日々の業務に**ボウサツ**されている。
14 家族を乗せた飛行機が**リリク**した。
15 **カンデンチ**の寿命がきた。
16 心理**ビョウシャ**が巧みな文章だ。
17 **カンビ**な音色に酔いしれた。
18 コップに**スイテキ**が付く。
19 塩加減が**ゼツミョウ**な料理だ。
20 リーダーが**ソクザ**に判断を下す。

解答
11 罰則 12 微力 13 忙殺 14 離陸 15 乾電池 16 描写 17 甘美 18 水滴 19 絶妙 20 即座

21 **トウミン**から覚めたクマが現れる。
22 命の**ヤクドウ**を感じさせる絵だ。
23 高校の三年間を**カイキン**した。
24 **ゲンカン**に並んだ靴をそろえる。
25 金メダルを獲得した**エイユウ**だ。
26 紛争地へ特使を**ハケン**する。
27 旅の同行は**エンリョ**しておく。
28 デザインが**キバツ**な建物だ。
29 **スンカ**を割いて読書する。
30 劣勢を**ハ**ね返して勝ち上がる。
31 不運を**ナゲ**いても仕方がない。
32 **ウ**き沈みの激しい業界で働く。
33 白馬が大草原を**カ**ける。
34 **オノレ**のあやまちを認める。

21 冬眠
22 躍動
23 皆勤
24 玄関
25 英雄
26 派遣
27 遠慮
28 奇抜
29 寸暇
30 跳
31 嘆
32 浮
33 駆
34 己

35 顔見知りとあいさつを**カ**わす。
36 冷気が肌を**サ**すような朝だ。
37 **シグレ**が降る季節となった。
38 投資家が大きな損失を**コウム**る。
39 野草を**ツ**んできて調理する。
40 **ク**ちた大木が横たわっていた。
41 サッカー場の**シバフ**を整備する。
42 **アザ**やかな一本勝ちを決めた。
43 **サトイモ**の皮をむいて煮る。
44 料理の**ウデマエ**を披露した。
45 昔の思い出に**ヒタ**っている。
46 プレゼントに手紙を**ソ**える。
47 勇気を出して一歩**フ**み出す。
48 なくなった祖母の**オモカゲ**がある。

35 交
36 刺
37 時雨
38 被
39 摘
40 朽
41 芝生
42 鮮
43 里芋
44 腕前
45 浸
46 添
47 踏
48 面影

配当漢字表（50音順）

準2級の配当漢字を50音順に並べました。各漢字の下に読み方と本文での掲載ページを載せています。カタカナは音読み、ひらがなは訓読み、（　）内は送りがなです。★の付いた音訓は高校で習う読みです。

亜	ア	P.49
尉	イ	P.53
逸	イツ	P.12
姻	イン	P.40
韻	イン	P.45
畝	うね	P.57
浦	うら	P.40
疫	エキ・ヤク★	P.21
謁	エツ	P.40
猿	エン さる	P.33
凹	オウ	P.53
翁	オウ	P.53
虞	おそれ	P.49
渦	カ★ うず	P.24
禍	カ	P.17
靴	カ★ くつ	P.25
寡	カ	P.12
稼	カ★ かせ(ぐ)	P.28
蚊	か	P.49
拐	カイ	P.49
懐	カイ ふところ★・なつ(かしい)★・なつ(かしむ)★・なつ(く)★・なつ(ける)★	P.41
劾	ガイ	P.49
涯	ガイ	P.41
垣	かき	P.20
核	カク	P.41
殻	カク から	P.17
嚇	カク	P.41
括	カツ	P.17
喝	カツ	P.41
渇	カツ★ かわ(く)	P.28
褐	カツ	P.57
轄	カツ	P.25
且	か(つ)	P.28
缶	カン	P.49
陥	カン おちい(る)・おとしい(れる)★	P.16
患	カン わずら(う)★	P.33
堪	カン★ た(える)	P.29
棺	カン	P.56
款	カン	P.33
閑	カン	P.12
寛	カン	P.29
憾	カン	P.41
還	カン	P.17
艦	カン	P.29
頑	ガン	P.12
飢	キ う(える)	P.21
宜	ギ	P.41
偽	ギ いつわ(る)・にせ★	P.12
擬	ギ	P.25
糾	キュウ	P.33
窮	キュウ きわ(める)★・きわ(まる)★	P.12
拒	キョ こば(む)	P.25
享	キョウ	P.29
挟	キョウ★ はさ(む)・はさ(まる)	P.33
恭	キョウ うやうや(しい)★	P.48
矯	キョウ た(める)★	P.56
暁	ギョウ★ あかつき	P.52
菌	キン	P.25
琴	キン こと	P.29
謹	キン つつし(む)	P.20
襟	キン★ えり	P.25
吟	ギン	P.20
隅	グウ すみ	P.41
勲	クン	P.21
薫	クン★ かお(る)	P.53
茎	ケイ くき	P.33
渓	ケイ	P.29
蛍	ケイ ほたる	P.29
慶	ケイ	P.25
傑	ケツ	P.16
嫌	ケン・ゲン きら(う)・いや	P.12
献	ケン・コン	P.16
謙	ケン	P.41
繭	ケン★ まゆ	P.33
顕	ケン	P.20

懸	ケン・ケ★ か(ける)・か(かる)	P.21
弦	ゲン つる★	P.41
呉	ゴ	P.52
碁	ゴ	P.41
江	コウ え	P.41
肯	コウ	P.20
侯	コウ	P.48
洪	コウ	P.48
貢	コウ・ク★ みつ(ぐ)★	P.41
溝	コウ みぞ	P.25
衡	コウ	P.21
購	コウ	P.41
拷	ゴウ	P.56
剛	ゴウ	P.20
酷	コク	P.20
昆	コン	P.56
懇	コン ねんご(ろ)★	P.17
唆	サ そそのか(す)★	P.41
詐	サ	P.48
砕	サイ くだ(く)・くだ(ける)	P.17
宰	サイ	P.29
栽	サイ	P.52
斎	サイ	P.48
索	サク	P.13
酢	サク す	P.21
桟	サン	P.48
傘	サン★ かさ	P.29
肢	シ	P.48
嗣	シ	P.56
賜	シ★ たまわ(る)	P.41
璽	ジ	P.56
漆	シツ うるし	P.13
遮	シャ さえぎ(る)	P.13
蛇	ジャ・ダ へび	P.48
酌	シャク く(む)★	P.17
爵	シャク	P.29
珠	シュ	P.25
儒	ジュ	P.56
囚	シュウ	P.56
臭	シュウ くさ(い)・にお(う)	P.17
愁	シュウ うれ(える)★・うれ(い)★	P.17
酬	シュウ	P.44
醜	シュウ みにく(い)	P.20
汁	ジュウ しる	P.16
充	ジュウ あ(てる)★	P.20
渋	ジュウ しぶ・しぶ(い)・しぶ(る)	P.12
銃	ジュウ	P.25
叔	シュク	P.21
淑	シュク	P.33
粛	シュク	P.20
塾	ジュク	P.57
俊	シュン	P.20
准	ジュン	P.33
殉	ジュン	P.52
循	ジュン	P.52
庶	ショ	P.52
緒	ショ・チョ お	P.17
叙	ジョ	P.12
升	ショウ ます	P.25
抄	ショウ	P.48
肖	ショウ	P.33
尚	ショウ	P.36
宵	ショウ★ よい	P.36
症	ショウ	P.25
祥	ショウ	P.44
渉	ショウ	P.48
訟	ショウ	P.56
硝	ショウ	P.56
粧	ショウ	P.44
詔	ショウ みことのり★	P.56
奨	ショウ	P.36
彰	ショウ	P.44
償	ショウ つぐな(う)	P.13
礁	ショウ	P.21
浄	ジョウ	P.13
剰	ジョウ	P.36
壌	ジョウ	P.36
醸	ジョウ かも(す)★	P.36
津	シン★ つ	P.36
唇	シン★ くちびる	P.36
娠	シン	P.56
紳	シン	P.44
診	シン み(る)	P.13
刃	ジン★ は	P.29
迅	ジン	P.36
甚	ジン★ はなは(だ)・はなは(だしい)	P.36
帥	スイ	P.52
睡	スイ	P.36
枢	スウ	P.29
崇	スウ	P.36
据	す(える)・す(わる)	P.21
杉	すぎ	P.29
斉	セイ	P.29
逝	セイ ゆ(く)★・い(く)★	P.29
誓	セイ ちか(う)	P.21
析	セキ	P.32
拙	セツ つたな(い)	P.13

壮	塑	疎	租	漸	禅	繊	薦	遷	践	旋	栓	仙	窃
ソウ	ソ	ソ うと(い)★・ うと(む)★	ソ	ゼン	ゼン	セン	セン すす(める)	セン	セン	セン	セン	セン	セツ
P.13	P.52	P.16	P.52	P.24	P.21	P.44	P.16	P.29	P.44	P.17	P.44	P.57	P.52
濯	泰	駄	惰	堕	妥	藻	霜	槽	喪	曹	挿	捜	荘
タク	タイ	ダ	ダ	ダ	ダ	ソウ も	ソウ★ しも	ソウ	ソウ も	ソウ	ソウ さ(す)	ソウ さが(す)	ソウ
P.57	P.37	P.24	P.16	P.25	P.44	P.52	P.48	P.37	P.24	P.57	P.32	P.17	P.44
勅	懲		釣	眺	挑	弔	衷	嫡	秩	逐	痴	棚	但
チョク	チョウ こ(りる)・ こ(らす)・ こ(らしめる)		チョウ★ つ(る)	チョウ なが(める)	チョウ いど(む)	チョウ とむら(う)	チュウ	チャク	チツ	チク	チ	たな	ただ(し)
P.52	P.13		P.37	P.24	P.21	P.25	P.32	P.57	P.48	P.13	P.44	P.32	P.33
迭	泥	艇	偵	逓	貞	亭	邸	廷	呈	坪	漬	塚	朕
テツ	デイ★ どろ	テイ	テイ	テイ	テイ	テイ	テイ	テイ	テイ	つぼ	つ(ける)・ つ(かる)	つか	チン
P.45	P.49	P.37	P.49	P.44	P.57	P.57	P.32	P.24	P.25	P.24	P.49	P.37	P.57
尼	軟	屯	凸	督	洞	騰	謄	筒	棟	搭	悼	撤	徹
ニ★ あま	ナン やわ(らか)・ やわ(らかい)	トン	トツ	トク	ドウ ほら	トウ	トウ	トウ つつ	トウ むね・むな★	トウ	トウ いた(む)★	テツ	テツ
P.37	P.16	P.45	P.57	P.21	P.45	P.16	P.37	P.21	P.25	P.37	P.32	P.32	P.13
鉢	肌	漠	舶	伯	賠	媒	培	廃	覇	把	寧	忍	妊
ハチ・ハツ★	はだ	バク	ハク	ハク	バイ	バイ	バイ つちか(う)★	ハイ すた(れる)・ すた(る)	ハ	ハ	ネイ	ニン しの(ぶ)・ しの(ばせる)	ニン
P.37	P.17	P.37	P.37	P.45	P.49	P.13	P.53	P.12	P.12	P.28	P.37	P.16	P.45
譜	附	扶	瓶	頻	賓	猫	罷	扉	披	妃	頒	煩	閥
フ	フ	フ	ビン	ヒン	ヒン	ビョウ★ ねこ	ヒ	ヒ★ とびら	ヒ	ヒ	ハン	ハン・ボン★ わずら(う)・ わずら(わす)	バツ
P.28	P.57	P.49	P.49	P.28	P.21	P.37	P.45	P.28	P.53	P.37	P.32	P.17	P.28

侮	ブ あなど(る)★	P.37
沸	フツ わ(く)・わ(かす)	P.13
雰	フン	P.45
憤	フン いきどお(る)★	P.37
丙	ヘイ	P.57
併	ヘイ あわ(せる)	P.12
塀	ヘイ	P.45
幣	ヘイ	P.49
弊	ヘイ	P.17
偏	ヘン かたよ(る)	P.24
遍	ヘン	P.28
泡	ホウ あわ	P.13
俸	ホウ	P.45
褒	ホウ★ ほ(める)	P.32
剖	ボウ	P.32
紡	ボウ つむ(ぐ)★	P.53
朴	ボク	P.21
僕	ボク	P.53
撲	ボク	P.45
堀	ほり	P.40
奔	ホン	P.40
麻	マ あさ	P.28
摩	マ	P.24
磨	マ みが(く)	P.40
抹	マツ	P.32
岬	みさき	P.40
銘	メイ	P.16
妄	モウ・ボウ★	P.57
盲	モウ	P.40
耗	モウ・コウ★	P.40
厄	ヤク	P.49
愉	ユ	P.32
諭	ユ さと(す)	P.17
癒	ユ い(える)・い(やす)	P.24
唯	ユイ・イ★	P.53
悠	ユウ	P.24
猶	ユウ	P.53
裕	ユウ	P.45
融	ユウ	P.13
庸	ヨウ	P.33
窯	ヨウ★ かま	P.33
羅	ラ	P.33
酪	ラク	P.45
痢	リ	P.53
履	リ は(く)	P.20
柳	リュウ やなぎ	P.33
竜	リュウ たつ	P.24
硫	リュウ	P.53
虜	リョ	P.53
涼	リョウ すず(しい)・すず(む)	P.16
僚	リョウ	P.45
寮	リョウ	P.40
倫	リン	P.33
累	ルイ	P.40
塁	ルイ	P.53
戻	レイ★ もど(す)・もど(る)	P.28
鈴	レイ・リン すず	P.40
賄	ワイ まかな(う)	P.13
枠	わく	P.28

熟字訓・当て字

小学校・中学校・高校で習う熟字訓・当て字の中で、気をつけておきたいものを掲載しました。確認しておきましょう。

熟字訓・当て字	読み
小豆	あずき
海女・海士	あま
硫黄	いおう
意気地	いくじ
田舎	いなか
息吹	いぶき
海原	うなばら
乳母	うば
浮気	うわき
浮つく	うわつく
笑顔	えがお
叔父・伯父	おじ
乙女	おとめ
叔母・伯母	おば
お巡りさん	おまわりさん
お神酒	おみき
母屋・母家	おもや
神楽	かぐら
河岸	かし
風邪	かぜ
仮名	かな
蚊帳	かや
為替	かわせ
河原・川原	かわら
果物	くだもの
玄人	くろうと
今朝	けさ
景色	けしき
心地	ここち
居士	こじ
早乙女	さおとめ
雑魚	ざこ
桟敷	さじき
差し支える	さしつかえる
五月	さつき
早苗	さなえ
五月雨	さみだれ
時雨	しぐれ
竹刀	しない
老舗	しにせ
芝生	しばふ
清水	しみず

三味線　しゃみせん
砂利　じゃり
数珠　じゅず
上手　じょうず
白髪　しらが
素人　しろうと
師走　しわす・しはす
数寄屋・数奇屋　すきや
相撲　すもう
草履　ぞうり
山車　だし
太刀　たち
立ち退く　たちのく
七夕　たなばた
足袋　たび
稚児　ちご
築山　つきやま
梅雨　つゆ

凸凹　でこぼこ
伝馬船　てんません
投網　とあみ
十重二十重　とえはたえ
読経　どきょう
時計　とけい
仲人　なこうど
名残　なごり
雪崩　なだれ
野良　のら
祝詞　のりと
博士　はかせ
二十・二十歳　はたち
二十日　はつか
波止場　はとば
日和　ひより
吹雪　ふぶき
下手　へた

迷子　まいご
真面目　まじめ
真っ赤　まっか
真っ青　まっさお
土産　みやげ
息子　むすこ
眼鏡　めがね
猛者　もさ
紅葉　もみじ
木綿　もめん
最寄り　もより
八百長　やおちょう
八百屋　やおや
大和　やまと
浴衣　ゆかた
行方　ゆくえ
寄席　よせ
若人　わこうど

特別な読みの用例

小学校・中学校・高校で習う特別な読みの用例の中で、気をつけたいものを掲載しました。特別な読み以外にも可能な読みがある場合は（　）に入れて掲載しています。

漢字	用例	読み
依	帰依	きえ
遺	遺言	ゆいごん （いごん）
雨	雨雲	あまぐも
疫	疫病神	やくびょうがみ
益	御利益	ごりやく
遠・久	久遠	くおん
火	火影	ほかげ
仮	仮病	けびょう
何	何本	なんぼん
夏	夏至	げし
華	香華	こうげ
回	回向	えこう
街	街道	かいどう

漢字	用例	読み
格	格子	こうし
眼	開眼	かいげん
期	最期	さいご
脚・行	行脚	あんぎゃ
宮	宮内庁	くないちょう
虚	虚空	こくう
供	供養	くよう
	供物	くもつ
胸	胸板	むないた
境	境内	けいだい
仰	信仰	しんこう
金	金物	かなもの
	金縛り	かなしばり
勤	勤行	ごんぎょう

漢字	用例	読み
群	群がる	むらがる
兄・弟	兄弟	きょうだい （けいてい）
建・立	建立	こんりゅう
嫌	機嫌	きげん
献	献立	こんだて
	一献	いっこん
権	権化	ごんげ
験	霊験	れいげん
懸	懸念	けねん
厳	荘厳	そうごん
庫	庫裏	くり
功	功徳	くどく
紅	真紅・深紅	しんく

香　香車　きょうしゃ
貢　年貢　ねんぐ
黄　黄金　こがね
（おうごん）
合　合戦　かっせん
再　再来年　さらいねん
再来週　さらいしゅう
歳　歳暮　せいぼ
財　財布　さいふ
殺　相殺　そうさい
殺　殺生　せっしょう
仕　給仕　きゅうじ
児　小児科　しょうにか
事　好事家　こうずか
七　七日　なのか
質　言質　げんち
若　老若　ろうにゃく
（ろうじゃく）

寂　寂然　せきぜん
（じゃくねん）
手　手綱　たづな
手繰る　たぐる
主・法　法主　ほっす
（ほうしゅ・
ほっしゅ）
守・留　留守　るす
酒　酒屋　さかや
酒場　さかば
酒盛り　さかもり
舟　舟遊び　ふなあそび
修　修行　しゅぎょう
就・成　成就　じょうじゅ
衆　衆生　しゅじょう
従　従容　しょうよう
従　従四位　じゅしい
祝　祝言　しゅうげん

出・納　出納　すいとう
旬　旬　しゅん
緒　情緒　じょうちょ
（じょうしょ）
女　女房　にょうぼう
除　掃除　そうじ
上　上人　しょうにん
上　上着　うわぎ
情・風　風情　ふぜい
食　断食　だんじき
神　神主　かんぬし
神　神々しい　こうごうしい
仁　仁王　におう
数　人数　にんず
（にんずう）
井　天井　てんじょう
声　大音声　だいおんじょう
声　声色　こわいろ

青・緑	緑青	ろくしょう
政	摂政	せっしょう
星	明星	みょうじょう
清	六根清浄	ろっこんしょうじょう
盛	繁盛	はんじょう
精	精進	しょうじん
	不精	ぶしょう
静	静脈	じょうみゃく
請	普請	ふしん
石	磁石	じしゃく
石	石高	こくだか
赤	赤銅	しゃくどう
昔	今昔	こんじゃく
切	一切	いっさい
節	お節料理	おせちりょうり
説	遊説	ゆうぜい
船	船旅	ふなたび
	船賃	ふなちん

早	早速	さっそく
	早急	さっきゅう（そうきゅう）
想	愛想	あいそ
贈	寄贈	きそう（きぞう）
団	布団	ふとん
壇	土壇場	どたんば
着	愛着	あいじゃく（あいちゃく）
	執着	しゅうじゃく（しゅうちゃく）
中	一日中	いちにちじゅう
通	通夜	つや
弟	弟子	でし
天	天下り	あまくだり
度・法	法度	はっと
度	支度	したく

豆	大豆	だいず
棟	棟木	むなぎ
稲	稲穂	いなほ
	稲作	いなさく
頭	音頭	おんど
道	神道	しんとう
読	句読点	くとうてん
内	内裏	だいり
	参内	さんだい
南	南無	なむ
納	納得	なっとく
	納豆	なっとう
納	納屋	なや
納	納戸	なんど
馬	絵馬	えま
	馬子	まご
白	白壁	しらかべ
	白む	しらむ

漢字	用例	読み
	白ける	しらける
拍	拍子	ひょうし
博	博徒	ばくと
	博労	ばくろう
八	八日	ようか
鉢	衣鉢	いはつ
反・謀	謀反	むほん
反	反物	たんもの
煩	煩悩	ぼんのう
彼	彼女	かのじょ
苗	苗代	なわしろ
病	疾病	しっぺい
夫	夫婦	ふうふ
	工夫	くふう
富	富貴	ふうき
		（ふっき）
風	風上	かざかみ・かざうえ
	風車	かざぐるま

漢字	用例	読み
歩	歩	ふ
奉	奉行	ぶぎょう
亡	亡者	もうじゃ
坊	坊ちゃん	ぼっちゃん
暴	暴露	ばくろ
木	木立	こだち
	木陰	こかげ
凡	凡例	はんれい
耗	心神耗弱	しんしんこうじゃく
目	面目	めんぼく
		（めんもく）
目	目の当たり	まのあたり
	目深	まぶか
問	問屋	とんや
		（といや）
由	由緒	ゆいしょ
唯	唯々諾々	いいだくだく
遊	遊山	ゆさん

漢字	用例	読み
律	律儀	りちぎ
流	流布	るふ
	流転	るてん
	流罪	るざい
糧	兵糧	ひょうろう
露	披露	ひろう
六	六日	むいか
和	和尚	おしょう

中学校で習う読み

小学校の学習漢字の中で、中学校で習う読み方を一覧表にまとめました。カタカナは音読み、ひらがなは訓読み、（　）内は送りがなを示しています。

学年	漢字	読み
小一	音	イン
小一	下	もと
小一	字	あざ
小一	耳	ジ
小一	手	た
小一	出	スイ
小一	女	ニョ　め
小一	上	のぼ(せる)　のぼ(す)
小一	生	お(う)　き
小一	夕	セキ
小一	石	コク
小一	京	ケイ
小一	川	セン
小一	早	サッ
小一	文	ふみ
小一	目	ボク
小二	羽	ウ
小二	園	その
小二	何	カ
小二	夏	ゲ
小二	外	ゲ
小二	弓	キュウ
小二	京	ケイ
小二	強	ゴウ　し(いる)
小二	兄	ケイ
小二	後	おく(れる)
小二	公	おおやけ
小二	交	か(う)　か(わす)
小二	黄	コウ　こ
小二	谷	コク
小二	今	キン
小二	姉	シ
小二	室	むろ
小二	図	はか(る)
小二	声	こわ
小二	星	ショウ
小二	切	サイ
小二	体	テイ
小二	茶	サ
小二	弟	テイ　デ
小二	頭	かしら
小二	内	ダイ
小二	麦	バク
小二	歩	ブ
小二	妹	マイ
小二	万	バン
小二	門	かど
小二	来	きた(る)　きた(す)
小三	化	ケ
小三	荷	カ
小三	客	カク
小三	究	きわ(める)
小三	宮	グウ
小三	業	わざ
小三	軽	かろ(やか)
小三	研	と(ぐ)
小三	幸	さち
小三	次	シ
小三	守	も(り)
小三	州	す
小三	拾	シュウ　ジュウ
小三	集	つど(う)
小三	助	すけ
小三	商	あきな(う)
小三	勝	まさ(る)
小三	申	シン
小三	神	かん
小三	昔	シャク
小三	相	ショウ
小三	速	すみ(やか)
小三	対	ツイ
小三	代	しろ
小三	丁	テイ
小三	調	ととの(う)　ととの(える)
小三	度	タク　たび
小三	童	わらべ
小三	発	ホツ
小三	反	タン
小三	鼻	ビ
小三	病	や(む)
小三	命	ミョウ
小三	面	おも　おもて
小三	役	エキ
小三	有	ウ
小三	和	やわ(らぐ)・やわ(らげる)・なご(む)・なご(やか)
小四	衣	ころも
小四	媛	エン
小四	街	カイ
小四	岐	キ
小四	器	うつわ
小四	機	はた
小四	泣	キュウ
小四	競	きそ(う)

極	ゴク／きわ(める)・きわ(まる)・きわ(み)
結	ゆ(う) ゆ(わえる)
健	すこ(やか)
香	コウ
氏	うじ
試	ため(す)
児	ニ
滋	ジ
辞	や(める)
初	そ(める)
笑	ショウ え(む)
焼	ショウ
縄	ジョウ
井	ショウ
省	かえり(みる)
静	ジョウ
浅	セン
戦	いくさ
仲	チュウ
阪	ハン
夫	フウ
望	モウ
牧	まき
民	たみ
要	い(る)

小五

仮	ケ
眼	まなこ
基	もと
技	わざ
境	ケイ
経	キョウ
故	ゆえ
厚	コウ
災	わざわ(い)
財	サイ
示	シ
似	ジ
質	シチ
謝	あやま(る)
授	さず(ける) さず(かる)
修	シュ
性	ショウ
精	ショウ
素	ス
率	ソツ
損	そこ(なう) そこ(ねる)
貸	タイ
断	た(つ)
提	さ(げる)
程	ほど
得	う(る)
犯	おか(す)
費	つい(やす) つい(える)
貧	ヒン
報	むく(いる)
暴	バク
迷	メイ

小六

遺	ユイ
映	は(える)
我	ガ わ
灰	カイ
革	かわ
割	カツ さ(く)
干	ひ(る)
危	あや(うい) あや(ぶむ)
机	キ
貴	たっと(い)・とうと(い)・たっと(ぶ)・とうと(ぶ)
胸	むな
郷	ゴウ
穴	ケツ
厳	おごそ(か)
己	キ おのれ
紅	ク くれない
鋼	はがね
砂	シャ
座	すわ(る)
裁	た(つ)
若	ジャク
宗	ソウ
就	つ(く) つ(ける)
熟	う(れる)
除	ジ
承	うけたまわ(る)
傷	いた(む) いた(める)
蒸	む(す) む(れる) む(らす)
仁	ニ
推	お(す)
盛	セイ さか(る) さか(ん)
誠	まこと
舌	ゼツ
専	もっぱ(ら)
染	セン
銭	ぜに
装	ショウ
操	あやつ(る)
蔵	くら
探	さぐ(る)
値	あたい
著	あらわ(す) いちじる(しい)
敵	かたき
討	う(つ)
乳	ち
認	ニン
納	ナッ トウ
背	そむ(く) そむ(ける)
秘	ひ(める)
並	ヘイ
閉	と(ざす)
片	ヘン
暮	ボ
訪	おとず(れる)
忘	ボウ
優	やさ(しい) すぐ(れる)
欲	ほ(しい)
卵	ラン
裏	リ
臨	のぞ(む)
朗	ほが(らか)

高校で習う読み

3級以下の配当漢字の中で、高校で習う読みを掲載しました。カタカナは音読み、ひらがなは訓読み、( )内は送りがなを示しています。

学年	漢字	読み
小一	火	ほ
	女	ニョウ
	上	ショウ
	青	ショウ
	赤	シャク
	天	あめ
	白	ビャク
	目	ま
	立	リュウ
小二	遠	オン
	回	エ
	会	エ
	行	アン
	矢	シ
	食	ジキ く(らう)
	数	ス
	声	ショウ
	通	ツ
	頭	ト
	道	トウ
	南	ナ
	風	フ
	聞	モン
	歩	フ
小三	悪	オ
	期	ゴ
	宮	ク
	業	ゴウ
	庫	ク
	仕	ジ
	事	ズ
	主	ス
	神	こう
	昔	セキ
	想	ソ
	着	ジャク
	定	さだ(か)
	度	ト
	反	ホン
	坂	ハン
	氷	ひ
	病	ヘイ
	面	つら
	由	ユイ よし
	遊	ユ
	流	ル
	緑	ロク
	礼	ライ
	和	オ
小四	栄	は(え) は(える)
	各	おのおの
	競	せ(る)
	建	コン
	験	ゲン
	功	ク
	香	キョウ
	候	そうろう
	産	うぶ
	祝	シュウ
	初	うい
	井	セイ
	成	ジョウ
	清	ショウ
	節	セチ
	説	ゼイ
	巣	ソウ
	沖	チュウ
	兆	きざ(す) きざ(し)
	灯	ひ
	博	バク
	富	フウ
	法	ハッ ホッ
	末	バツ
	利	き(く)
	老	ふ(ける)
小五	因	よ(る)
	益	ヤク
	桜	オウ
	価	あたい
	過	あやま(つ) あやま(ち)
	解	ゲ
	格	コウ
	眼	ゲン
	基	もとい
	久	ク
	潔	いさぎよ(い)
	興	おこ(る) おこ(す)
	際	きわ
	殺	サイ セツ
	酸	す(い)
	枝	シ

質	チ
常	とこ
情	セイ
織	ショク
政	ショウ まつりごと
接	つ(ぐ)
団	トン
統	す(べる)
暴	あば(く)

小六

供	ク
勤	ゴン
絹	ケン
権	ゴン
厳	ゴン
冊	サク
若	ニャク も(しくは)
就	ジュ
衆	シュ
従	ショウ ジュ
障	さわ(る)
盛	ジョウ
染	し(みる) し(み)
奏	かな(でる)
装	よそお(う)
操	みさお
担	かつ(ぐ) にな(う)
難	かた(い)
納	ナ ナン
否	いな
亡	モウ な(い)
欲	ほっ(する)
律	リチ

その他

依	エ
詠	よ(む)
汚	けが(す) けが(れる) けが(らわしい)
押	オウ
殴	オウ
奥	オウ
華	ケ
嫁	カ
鑑	かんが(みる)
忌	い(む) い(まわしい)
戯	たわむ(れる)
詰	キツ
脚	キャ
虐	しいた(げる)
虚	コ
狭	キョウ
脅	おびや(かす)
仰	おお(せ)
契	ちぎ(る)
憩	いこ(う)
肩	ケン
鼓	つづみ
更	ふ(ける) ふ(かす)
控	コウ
慌	コウ
絞	コウ
彩	いろど(る)
搾	サク
惨	ザン みじ(め)
旨	むね
伺	シ
施	セ
慈	いつく(しむ)
煮	シャ
寂	セキ
秀	ひい(でる)
瞬	またた(く)
如	ニョ
沼	ショウ
焦	あせ(る)
辱	はずかし(める)
穂	スイ
婿	セイ
請	シン こ(う)
阻	はば(む)
礎	いしずえ
桑	ソウ
葬	ほうむ(る)
袋	タイ
端	は
壇	タン
澄	チョウ
鎮	しず(める) しず(まる)
滴	したた(る)
卑	いや(しい) いや(しむ) いや(しめる)
泌	ヒ
苗	ビョウ
敷	フ
覆	くつがえ(す) くつがえ(る)
払	フッ
柄	ヘイ
芳	かんば(しい)
奉	たてまつ(る)
倣	なら(う)
傍	かたわ(ら)
謀	ム はか(る)
翻	ひるがえ(る) ひるがえ(す)
凡	ハン
免	まぬか(れる)
憂	う(い)
腰	ヨウ
謡	うたい うた(う)
絡	から(む) から(まる) から(める)
陵	みささぎ
糧	ロウ かて
霊	リョウ たま
麗	うるわ(しい)

その他の部首

部首の問題では、本文で挙げた頻出問題以外にもさまざまな漢字が出題されますので、チェックしておきましょう。

漢字	革	勘	患	閑	幾	虐	京	斤	甲	骨
部首	革	力	心	門（もんがまえ）	幺	虍	亠	斤	田	骨

漢字	酢	肢	賜	朱	斗	叔	塾	斥	舌	践
部首	酉	月（にくづき）	貝	木	斗	又	土	斤	舌	⻊

漢字	塑	堕	惰	奪	窒	版	兆	廷	艇	督
部首	土	土	忄	大	穴	片	儿	廴	舟	目

漢字	凸	忍	幕	閥	頻	募	剖	僕	凡	矛
部首	凵	心	巾	門（もんがまえ）	頁	力	刂	亻	几	矛

漢字	免	勇	悠	卵	痢	裏	了	塁	以	音
部首	儿	力	心	卩	疒	衣	亅	土	人	音

部首一覧

画数ごとに部首と部首名を載せました。部首を覚えるときは部首名も一緒に覚えるようにすると覚えやすいです。

1画

部首	部首名
一	いち
丨	ぼう たてぼう
丶	てん
丿	の はらいぼう
乙	おつ
乚	おつ
亅	はねぼう

2画

部首	部首名
二	に
亠	なべぶた けいさんかんむり
人	ひと
亻	にんべん
𠆢	ひとやね
入	いる
儿	ひとあし にんにょう
八	はち
八	は
冂	どうがまえ けいがまえ まきがまえ
冖	わかんむり
冫	にすい
几	つくえ
凵	うけばこ
刀	かたな
刂	りっとう
力	ちから
勹	つつみがまえ
匕	ひ
匚	はこがまえ
匸	かくしがまえ
十	じゅう
卜	と うらない
卩	わりふ ふしづくり
㔾	わりふ ふしづくり
厂	がんだれ
厶	む
又	また

3画

部首	部首名
口	くち
口	くちへん
囗	くにがまえ
土	つち
土	つちへん
士	さむらい
夂	すいにょう ふゆがしら
夕	た ゆうべ
大	だい
女	おんな
女	おんなへん
子	こ
子	こへん
宀	うかんむり
寸	すん
小	しょう
⺌	しょう
尢	だいのまげあし
尸	かばね しかばね
屮	てつ
山	やま
山	やまへん
川	かわ
巛	かわ
工	え たくみ
工	たくみへん
己	おのれ
巾	はば

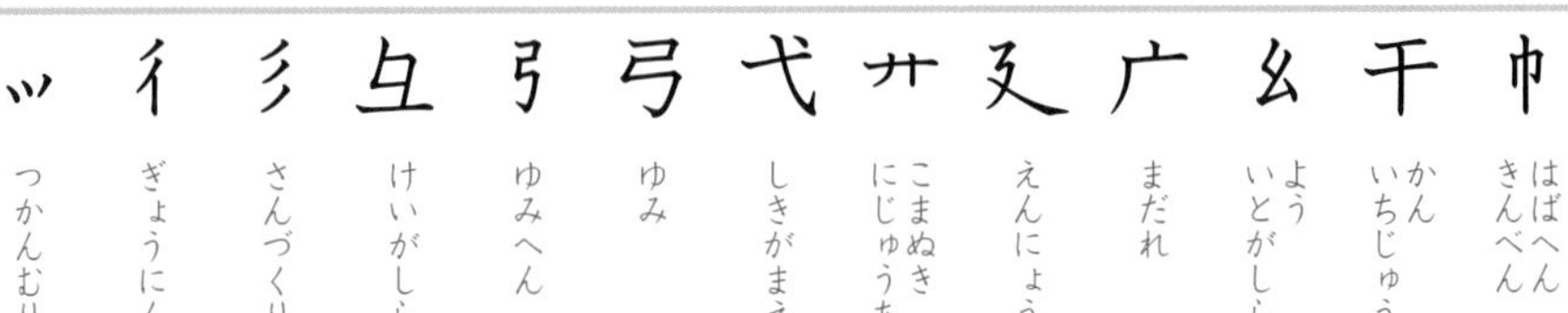

- 巾　はばへん　きんべん
- 干　かん　いちじゅう
- 幺　よう　いとがしら
- 广　まだれ
- 廴　えんにょう
- 廾　こまぬき　にじゅうあし
- 弋　しきがまえ
- 弓　ゆみ
- 弓　ゆみへん
- 彑　けいがしら
- 彡　さんづくり
- 彳　ぎょうにんべん
- ⺍　つかんむり

> 忄→もとは心（4画へ）
> 扌→もとは手（4画へ）
> 氵→もとは水（4画へ）
> 犭→もとは犬（4画へ）
> 艹→もとは艸（6画へ）
> 辶→もとは辵（7画へ）
> 阝(旁)→もとは邑（7画へ）
> 阝(偏)→もとは阜（8画へ）

4画

- 心　こころ
- 忄　りっしんべん
- ⺗　したごころ
- 戈　ほこづくり　ほこがまえ
- 戸　と
- 戸　とだれ　とかんむり
- 手　て
- 扌　てへん
- 支　し
- 攵　のぶん　ぼくづくり
- 文　ぶん
- 斗　とます
- 斤　きん
- 斤　おのづくり
- 方　ほう
- 方　ほうへん　かたへん
- 日　ひ
- 日　ひへん
- 曰　ひらび　いわく
- 月　つき
- 月　つきへん
- 木　き
- 木　きへん
- 欠　あくび　かける
- 止　とめる
- 歹　かばねへん　いちたへん　がつへん
- 殳　るまた　ほこづくり
- 毋　なかれ
- 比　ならびひ　くらべる
- 毛　け
- 氏　うじ
- 气　きがまえ
- 水　みず
- 氵　さんずい
- 氺　したみず
- 火　ひ
- 火　ひへん
- 灬　れんが　れっか
- 爪　つめ
- 爫　つめかんむり　つめがしら
- 父　ちち
- 片　かた
- 片　かたへん
- 牙　きば
- 牛　うし
- 牜　うしへん
- 犬　いぬ
- 犭　けものへん

> 王・𤣩→もとは玉（5画へ）
> 礻→もとは示（5画へ）
> 耂→もとは老（6画へ）
> 辶→もとは辵（7画へ）

5画

- 玄　げん
- 玉　たま
- 王　おう
- 𤣩　おうへん　たまへん
- 瓦　かわら
- 甘　かん　あまい
- 生　うまれる
- 用　もちいる
- 田　た

部首	名称
田	たへん
疋	ひき
𤴔	ひきへん
疒	やまいだれ
癶	はつがしら
白	しろ
皮	けがわ
皿	さら
目	め
目	めへん
矛	ほこ
矢	や
矢	やへん
旡	なし ぶ すでのつくり
石	いし
石	いしへん
示	しめす
礻	しめすへん
禾	のぎ
禾	のぎへん
穴	あな
穴	あなかんむり
立	たつ
立	たつへん

氺→もとは水（4画へ）
罒→もとは网（6画へ）
衤→もとは衣（6画へ）

6画

部首	名称
竹	たけ
⺮	たけかんむり
米	こめ
米	こめへん
糸	いと
糸	いとへん
缶	ほとぎ
罒	あみがしら あみめ よこめ
羊	ひつじ
羽	はね
耂	おいかんむり おいがしら
而	しかして しこうして
耒	すきへん らいすき
耳	みみ
耳	みみへん
聿	ふでづくり
肉	にく
月	にくづき
自	みずから
至	いたる
臼	うす
舌	した
舟	ふね
舟	ふねへん
艮	ねづくり こんづくり
色	いろ
艹	くさかんむり
虍	とらがしら とらかんむり
虫	むし
虫	むしへん
血	ち
行	ぎょう
行	ぎょうがまえ ゆきがまえ
衣	ころも
衤	ころもへん
西	にし
覀	おおいかんむり

7画

部首	名称
見	みる
臣	しん
角	かく つの
角	つのへん
言	げん
言	ごんべん
谷	たに
豆	まめ
豕	ぶた いのこ
豸	むじなへん
貝	かい こがい
貝	かいへん
赤	あか

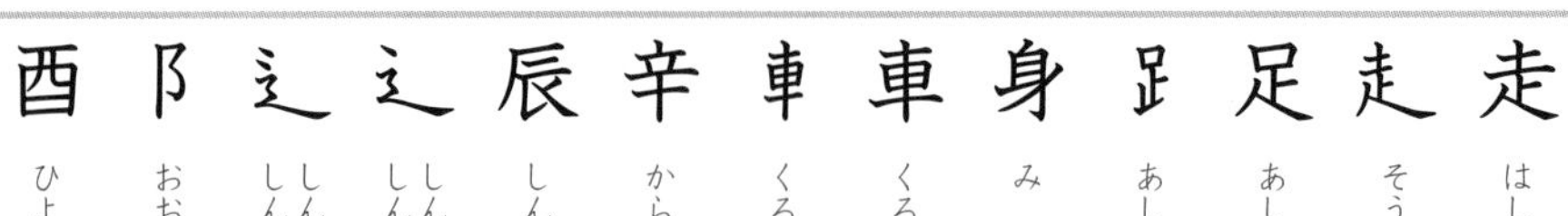

走	はしる
走	そうにょう
足	あし
⻊	あしへん
身	み
車	くるま
車	くるまへん
辛	からい
辰	しんのたつ
辶	しんにょう しんにゅう
辶	しんにょう しんにゅう
阝	おおざと
酉	ひよみのとり
酉	とりへん
釆	のごめ
釆	のごめへん
里	さと
里	さとへん
舛	まいあし
麦	むぎ
麦	ばくにょう

8画

金	かね
金	かねへん
長	ながい
門	もん
門	もんがまえ
阜	おか
阝	こざとへん
隶	れいづくり
隹	ふるとり
雨	あめ
⻗	あめかんむり
青	あお
非	あらず ひ
斉	せい

飠→もとは食（9画へ）

9画

面	めん
革	かくのかわ つくりがわ
革	かわへん
音	おと
頁	おおがい
風	かぜ
飛	とぶ
食	しょく
飠	しょくへん
飠	しょくへん
首	くび
香	か かおり

10画

馬	うま
馬	うまへん
骨	ほね
骨	ほねへん
高	たかい
髟	かみがしら
鬯	ちょう
鬼	おに
鬼	きにょう
韋	なめしがわ
竜	りゅう

11画

魚	うお
魚	うおへん
鳥	とり
鹿	しか
麻	あさ
黄	き
黒	くろ
亀	かめ

12画

歯	は
歯	はへん

13画

鼓	つづみ

14画

鼻	はな

3級以下の配当漢字表

小学校

愛	アイ
悪	アク・オ★ わる(い)
圧	アツ
安	アン やす(い)
案	アン
暗	アン くら(い)
以	イ
衣	イ ころも
位	イ くらい
囲	イ かこ(む)・かこ(う)
医	イ
委	イ ゆだ(ねる)
胃	イ
異	イ こと
移	イ うつ(る)・うつ(す)
意	イ
遺	イ・ユイ
域	イキ
育	イク そだ(つ)・そだ(てる)・はぐく(む)
一	イチ・イツ ひと・ひと(つ)
茨	いばら
引	イン ひ(く)・ひ(ける)
印	イン しるし
因	イン よ(る)★
員	イン
院	イン
飲	イン の(む)
右	ウ・ユウ みぎ
宇	ウ
羽	ウ は・はね
雨	ウ あめ・あま
運	ウン はこ(ぶ)
雲	ウン くも
永	エイ なが(い)
泳	エイ およ(ぐ)
英	エイ
映	エイ うつ(る)・うつ(す)・は(える)
栄	エイ さか(える)・は(え)★・は(える)★
営	エイ いとな(む)
衛	エイ
易	エキ・イ やさ(しい)
益	エキ・ヤク★
液	エキ
駅	エキ
円	エン まる(い)
延	エン の(びる)・の(べる)・の(ばす)
沿	エン そ(う)
媛	エン
園	エン その
遠	エン・オン★ とお(い)
塩	エン しお
演	エン
王	オウ
央	オウ
応	オウ こた(える)
往	オウ
桜	オウ★ さくら
横	オウ よこ
岡	おか
屋	オク や
億	オク
音	オン・イン おと・ね
恩	オン
温	オン あたた(か)・あたた(かい)・あたた(まる)・あたた(める)
下	カ・ゲ した・しも・もと・さ(げる)・さ(がる)・くだ(る)・くだ(す)・くだ(さる)・お(ろす)・お(りる)
化	カ・ケ ば(ける)・ば(かす)
火	カ ひ・ほ★
加	カ くわ(える)・くわ(わる)
可	カ
仮	カ・ケ かり
何	カ なに・なん
花	カ はな
価	カ あたい★
果	カ は(たす)・は(てる)・は(て)
河	カ かわ
科	カ
夏	カ・ゲ なつ
家	カ・ケ いえ・や
荷	カ に
貨	カ
過	カ す(ぎる)・す(ごす)・あやま(つ)★・あやま(ち)★
歌	カ うた・うた(う)
課	カ
我	ガ われ・わ
画	ガ・カク
芽	ガ め
賀	ガ
回	カイ・エ★ まわ(る)・まわ(す)
灰	カイ はい
会	カイ・エ★ あ(う)
快	カイ こころよ(い)
改	カイ あらた(める)・あらた(まる)
海	カイ うみ
界	カイ
械	カイ
絵	カイ・エ
開	カイ ひら(く)・ひら(ける)・あ(く)・あ(ける)
階	カイ
解	カイ・ゲ★ と(く)・と(かす)・と(ける)
貝	かい
外	ガイ・ゲ そと・ほか・はず(す)・はず(れる)
害	ガイ
街	ガイ・カイ まち
各	カク おのおの★
角	カク かど・つの
拡	カク
革	カク かわ
格	カク・コウ★
覚	カク おぼ(える)・さ(ます)・さ(める)
閣	カク
確	カク たし(か)・たし(かめる)
学	ガク まな(ぶ)
楽	ガク・ラク たの(しい)・たの(しむ)
額	ガク ひたい
潟	かた
活	カツ
割	カツ わ(る)・わり・わ(れる)・さ(く)
株	かぶ
干	カン ほ(す)・ひ(る)
刊	カン
完	カン
官	カン
巻	カン ま(く)・まき
看	カン
寒	カン さむ(い)
間	カン・ケン あいだ・ま
幹	カン みき
感	カン

※小学校で学ぶ漢字には、中学・高校で習う音訓も掲げてあります。★の付いた音訓は高校で習う読みです。

漢字	読み
漢	カン
慣	カン・な(れる)・なら(す)
管	カン・くだ
関	カン・せき・かか(わる)
館	カン・やかた
簡	カン
観	カン
丸	ガン・まる・まる(い)・まる(める)
岸	ガン・きし
岩	ガン・いわ
眼	ガン・ゲン★・まなこ
顔	ガン・かお
願	ガン・ねが(う)
危	キ・あぶ(ない)・あや(うい)・あや(ぶむ)
机	キ・つくえ
気	キ・ケ
岐	キ
希	キ
汽	キ
季	キ
紀	キ
記	キ・しる(す)
起	キ・お(きる)・お(こる)・お(こす)
帰	キ・かえ(る)・かえ(す)
基	キ・もと・もとい★
寄	キ・よ(る)・よ(せる)
規	キ
喜	キ・よろこ(ぶ)
揮	キ
期	キ・ゴ★
貴	キ・たっと(い)・とうと(い)・たっと(ぶ)・とうと(ぶ)
旗	キ・はた
器	キ・うつわ
機	キ・はた
技	ギ・わざ
義	ギ
疑	ギ・うたが(う)
議	ギ
客	キャク・カク
逆	ギャク・さか・さか(らう)
九	キュウ・ク・ここの・ここの(つ)
久	キュウ・ク★・ひさ(しい)
弓	キュウ・ゆみ
旧	キュウ
休	キュウ・やす(む)・やす(まる)・やす(める)
吸	キュウ・す(う)
求	キュウ・もと(める)
究	キュウ・きわ(める)
泣	キュウ・な(く)
急	キュウ・いそ(ぐ)
級	キュウ
宮	キュウ・グウ・ク★・みや
救	キュウ・すく(う)
球	キュウ・たま
給	キュウ
牛	ギュウ・うし
去	キョ・コ・さ(る)
居	キョ・い(る)
挙	キョ・あ(げる)・あ(がる)
許	キョ・ゆる(す)
魚	ギョ・うお・さかな
漁	ギョ・リョウ
共	キョウ・とも
京	キョウ・ケイ
供	キョウ・ク★・そな(える)・とも
協	キョウ
胸	キョウ・むね・むな
強	キョウ・ゴウ・つよ(い)・つよ(まる)・つよ(める)・し(いる)
教	キョウ・おし(える)・おそ(わる)
郷	キョウ・ゴウ
境	キョウ・ケイ・さかい
橋	キョウ・はし
鏡	キョウ・かがみ
競	キョウ・ケイ・きそ(う)・せ(る)★
業	ギョウ・ゴウ★・わざ
曲	キョク・ま(がる)・ま(げる)
局	キョク
極	キョク・ゴク・きわ(める)・きわ(まる)・きわ(み)
玉	ギョク・たま
均	キン
近	キン・ちか(い)
金	キン・コン・かね・かな
勤	キン・ゴン★・つと(める)・つと(まる)
筋	キン・すじ
禁	キン
銀	ギン
区	ク
句	ク
苦	ク・くる(しい)・くる(しむ)・くる(しめる)・にが(い)・にが(る)
具	グ
空	クウ・そら・あ(く)・あ(ける)・から
熊	くま
君	クン・きみ
訓	クン
軍	グン
郡	グン
群	グン・む(れる)・む(れ)・むら
兄	ケイ・キョウ・あに
形	ケイ・ギョウ・かた・かたち
系	ケイ
径	ケイ
係	ケイ・かか(る)・かかり
型	ケイ・かた
計	ケイ・はか(る)・はか(らう)
経	ケイ・キョウ・へ(る)
敬	ケイ・うやま(う)
景	ケイ
軽	ケイ・かる(い)・かろ(やか)
警	ケイ
芸	ゲイ
劇	ゲキ
激	ゲキ・はげ(しい)
欠	ケツ・か(ける)・か(く)
穴	ケツ・あな
血	ケツ・ち
決	ケツ・き(める)・き(まる)
結	ケツ・むす(ぶ)・ゆ(う)・ゆ(わえる)
潔	ケツ・いさぎよ(い)★
月	ゲツ・ガツ・つき
犬	ケン・いぬ
件	ケン
見	ケン・み(る)・み(える)・み(せる)
券	ケン
建	ケン・コン★・た(てる)・た(つ)
研	ケン・と(ぐ)
県	ケン
健	ケン・すこ(やか)
険	ケン・けわ(しい)
検	ケン
絹	ケン★・きぬ
権	ケン・ゴン★
憲	ケン

漢字	読み
験	ケン・ゲン★
元	ゲン・ガン もと
言	ゲン・ゴン い(う)・こと
限	ゲン かぎ(る)
原	ゲン はら
現	ゲン あらわ(れる)・あらわ(す)
減	ゲン へ(る)・へ(らす)
源	ゲン みなもと
厳	ゲン・ゴン★ おごそ(か)・きび(しい)
己	コ・キ おのれ
戸	コ と
古	コ ふる(い)・ふる(す)
呼	コ よ(ぶ)
固	コ かた(める)・かた(まる)・かた(い)
故	コ ゆえ
個	コ
庫	コ・ク★
湖	コ みずうみ
五	ゴ いつ・いつ(つ)
午	ゴ
後	ゴ・コウ のち・うし(ろ)・あと・おく(れる)
語	ゴ かた(る)・かた(らう)
誤	ゴ あやま(る)
護	ゴ
口	コウ・ク くち
工	コウ・ク
公	コウ おおやけ
功	コウ・ク★
広	コウ ひろ(い)・ひろ(まる)・ひろ(める)・ひろ(がる)・ひろ(げる)
交	コウ まじ(わる)・まじ(える)・ま(じる)・ま(ざる)・ま(ぜる)・か(う)・か(わす)
光	コウ ひか(る)・ひかり
向	コウ む(く)・む(ける)・む(かう)・む(こう)
后	コウ
好	コウ この(む)・す(く)
考	コウ かんが(える)
行	コウ・ギョウ・アン★ い(く)・ゆ(く)・おこな(う)
孝	コウ
効	コウ き(く)
幸	コウ さいわ(い)・さち・しあわ(せ)
厚	コウ あつ(い)
皇	コウ・オウ
紅	コウ・ク べに・くれない
香	コウ・キョウ★ か・かお(り)・かお(る)
候	コウ そうろう★
校	コウ
耕	コウ たがや(す)
航	コウ
降	コウ お(りる)・お(ろす)・ふ(る)
高	コウ たか(い)・たか・たか(まる)・たか(める)
康	コウ
黄	コウ・オウ き・こ
港	コウ みなと
鉱	コウ
構	コウ かま(える)・かま(う)
興	コウ・キョウ おこ(る)★・おこ(す)★
鋼	コウ はがね
講	コウ
号	ゴウ
合	ゴウ・ガッ・カッ あ(う)・あ(わす)・あ(わせる)
告	コク つ(げる)
谷	コク たに
刻	コク きざ(む)
国	コク くに
黒	コク くろ・くろ(い)
穀	コク
骨	コツ ほね
今	コン・キン いま
困	コン こま(る)
根	コン ね
混	コン ま(じる)・ま(ざる)・ま(ぜる)・こ(む)
左	サ ひだり
佐	サ
査	サ
砂	サ・シャ すな
差	サ さ(す)
座	ザ すわ(る)
才	サイ
再	サイ・サ ふたた(び)
災	サイ わざわ(い)
妻	サイ つま
採	サイ と(る)
済	サイ す(む)・す(ます)
祭	サイ まつ(る)・まつ(り)
細	サイ ほそ(い)・ほそ(る)・こま(か)・こま(かい)
菜	サイ な
最	サイ もっと(も)
裁	サイ た(つ)・さば(く)
際	サイ きわ★
埼	さい
在	ザイ あ(る)
材	ザイ
財	ザイ・サイ
罪	ザイ つみ
崎	さき
作	サク・サ つく(る)
昨	サク
策	サク
冊	サツ・サク★
札	サツ ふだ
刷	サツ す(る)
殺	サツ・サイ★・セツ★ ころ(す)
察	サツ
雑	ザツ・ゾウ
皿	さら
三	サン み・み(つ)・みっ(つ)
山	サン やま
参	サン まい(る)
蚕	サン かいこ
産	サン う(む)・う(まれる)・うぶ★
散	サン ち(る)・ち(らす)・ち(らかす)・ち(らかる)
算	サン
酸	サン す(い)★
賛	サン
残	ザン のこ(る)・のこ(す)
士	シ
子	シ・ス こ
支	シ ささ(える)
止	シ と(まる)・と(める)
氏	シ うじ
仕	シ・ジ★ つか(える)
史	シ
司	シ
四	シ よ・よ(つ)・よっ(つ)・よん
市	シ いち
矢	シ★ や
死	シ し(ぬ)
糸	シ いと
至	シ いた(る)
志	シ こころざ(す)・こころざし
私	シ わたくし・わたし
使	シ つか(う)
始	シ はじ(める)・はじ(まる)

漢字	読み
姉	シ あね
枝	シ★ えだ
姿	シ すがた
思	シ おも(う)
指	シ ゆび・さ(す)
師	シ
紙	シ かみ
視	シ
詞	シ
歯	シ は
試	シ こころ(みる)・ため(す)
詩	シ
資	シ
飼	シ か(う)
誌	シ
示	ジ・シ しめ(す)
字	ジ あざ
寺	ジ てら
次	ジ・シ つ(ぐ)・つぎ
耳	ジ みみ
自	ジ・シ みずか(ら)
似	ジ に(る)
児	ジ・ニ
事	ジ・ズ★ こと
治	ジ・チ おさ(める)・おさ(まる)・なお(る)・なお(す)
持	ジ も(つ)
時	ジ とき
滋	ジ
辞	ジ や(める)
磁	ジ
鹿	しか・か
式	シキ
識	シキ
七	シチ なな・なな(つ)・なの
失	シツ うしな(う)
室	シツ むろ
質	シツ・シチ・チ★
実	ジツ み・みの(る)
写	シャ うつ(す)・うつ(る)
社	シャ やしろ
車	シャ くるま
舎	シャ
者	シャ もの
射	シャ い(る)
捨	シャ す(てる)
謝	シャ あやま(る)
尺	シャク
借	シャク か(りる)
若	ジャク・ニャク★ わか(い)・も(しくは)★
弱	ジャク よわ(い)・よわ(る)・よわ(まる)・よわ(める)
手	シュ て・た
主	シュ・ス★ ぬし・おも
守	シュ・ス まも(る)・も(り)
取	シュ と(る)
首	シュ くび
酒	シュ さけ・さか
種	シュ たね
受	ジュ う(ける)・う(かる)
授	ジュ さず(ける)・さず(かる)
樹	ジュ
収	シュウ おさ(める)・おさ(まる)
州	シュウ す
周	シュウ まわ(り)
宗	シュウ・ソウ
拾	シュウ・ジュウ ひろ(う)
秋	シュウ あき
修	シュウ・シュ おさ(める)・おさ(まる)
終	シュウ お(わる)・お(える)
習	シュウ なら(う)
週	シュウ
就	シュウ・ジュ★ つ(く)・つ(ける)
衆	シュウ・シュ★
集	シュウ あつ(まる)・あつ(める)・つど(う)
十	ジュウ・ジッ とお・と
住	ジュウ す(む)・す(まう)
重	ジュウ・チョウ え・おも(い)・かさ(ねる)・かさ(なる)
従	ジュウ・ショウ★・ジュ★ したが(う)・したが(える)
縦	ジュウ たて
祝	シュク・シュウ★ いわ(う)
宿	シュク やど・やど(る)・やど(す)
縮	シュク ちぢ(む)・ちぢ(まる)・ちぢ(める)・ちぢ(れる)・ちぢ(らす)
熟	ジュク う(れる)
出	シュツ・スイ で(る)・だ(す)
述	ジュツ の(べる)
術	ジュツ
春	シュン はる
純	ジュン
順	ジュン
準	ジュン
処	ショ
初	ショ はじ(め)・はじ(めて)・はつ・うい★・そ(める)
所	ショ ところ
書	ショ か(く)
暑	ショ あつ(い)
署	ショ
諸	ショ
女	ジョ・ニョ・ニョウ★ おんな・め
助	ジョ たす(ける)・たす(かる)・すけ
序	ジョ
除	ジョ・ジ のぞ(く)
小	ショウ ちい(さい)・こ・お
少	ショウ すく(ない)・すこ(し)
招	ショウ まね(く)
承	ショウ うけたまわ(る)
松	ショウ まつ
昭	ショウ
将	ショウ
消	ショウ き(える)・け(す)
笑	ショウ わら(う)・え(む)
唱	ショウ とな(える)
商	ショウ あきな(う)
章	ショウ
勝	ショウ か(つ)・まさ(る)
焼	ショウ や(く)・や(ける)
証	ショウ
象	ショウ・ゾウ
傷	ショウ きず・いた(む)・いた(める)
照	ショウ て(る)・て(らす)・て(れる)
障	ショウ さわ(る)★
賞	ショウ
上	ジョウ・ショウ★ うえ・うわ・かみ・あ(げる)・あ(がる)・のぼ(る)・のぼ(せる)・のぼ(す)
条	ジョウ
状	ジョウ
乗	ジョウ の(る)・の(せる)
城	ジョウ しろ
常	ジョウ つね・とこ★
情	ジョウ・セイ★ なさ(け)
場	ジョウ ば
蒸	ジョウ む(す)・む(れる)・む(らす)
縄	ジョウ なわ

色	食	植	織	職	心	申	臣	身	信	神	真	針	深
ショク・シキ いろ	ショク・ジキ★ く(う)・く(らう)★・た(べる)	ショク う(える)・う(わる)	ショク★・シキ お(る)	ショク	シン こころ	シン もう(す)	シン・ジン	シン み	シン	シン・ジン かみ・かん・こう★	シン ま	シン はり	シン ふか(い)・ふか(まる)・ふか(める)

進	森	新	親	人	仁	図	水	垂	推	数	寸	井	世
シン すす(む)・すす(める)	シン もり	シン あたら(しい)・あら(た)・にい	シン おや・した(しい)・した(しむ)	ジン・ニン ひと	ジン・ニ	ズ・ト はか(る)	スイ みず	スイ た(れる)・た(らす)	スイ お(す)	スウ・ス★ かず・かぞ(える)	スン	セイ★・ショウ い	セイ・セ よ

正	生	成	西	声	制	性	青	政	星	省	清
セイ・ショウ ただ(しい)・ただ(す)・まさ	セイ・ショウ い(きる)・い(かす)・い(ける)・う(まれる)・う(む)・お(う)・は(える)・は(やす)・き・なま	セイ・ジョウ★ な(る)・な(す)	セイ・サイ にし	セイ・ショウ★ こえ・こわ	セイ	セイ・ショウ	セイ・ショウ★ あお・あお(い)	セイ・ショウ★ まつりごと★	セイ・ショウ ほし	セイ・ショウ かえり(みる)・はぶ(く)	セイ・ショウ★ きよ(い)・きよ(まる)・きよ(める)

盛	晴	勢	聖	誠	精	製	静	整	税	夕	石	赤
セイ・ジョウ★ も(る)・さか(る)・さか(ん)	セイ は(れる)・は(らす)	セイ いきお(い)	セイ	セイ まこと	セイ・ショウ	セイ	セイ・ジョウ しず・しず(か)・しず(まる)・しず(める)	セイ ととの(える)・ととの(う)	ゼイ	セキ ゆう	セキ・シャク・コク いし	セキ・シャク★ あか・あか(い)・あか(らむ)・あか(らめる)

昔	席	責	積	績	切	折	接	設	雪	節	説	舌	絶	千
セキ★・シャク むかし	セキ	セキ せ(める)	セキ つ(む)・つ(もる)	セキ	セツ・サイ き(る)・き(れる)	セツ お(る)・おり・お(れる)	セツ つ(ぐ)★	セツ もう(ける)	セツ ゆき	セツ・セチ★ ふし	セツ・ゼイ★ と(く)	ゼツ した	ゼツ た(える)・た(やす)・た(つ)	セン ち

川	先	宣	専	泉	浅	洗	染	船	戦	銭	線	選	全	前
セン かわ	セン さき	セン	セン もっぱ(ら)	セン いずみ	セン あさ(い)	セン あら(う)	セン そ(める)・そ(まる)・し(みる)★・し(み)★	セン ふね・ふな	セン いくさ・たたか(う)	セン ぜに	セン	セン えら(ぶ)	ゼン まった(く)・すべ(て)	ゼン まえ

善	然	祖	素	組	早	争	走	奏	相	草	送	倉	巣	窓
ゼン よ(い)	ゼン・ネン	ソ	ソ・ス	ソ く(む)・くみ	ソウ・サッ はや(い)・はや(まる)・はや(める)	ソウ あらそ(う)	ソウ はし(る)	ソウ かな(でる)★	ソウ・ショウ あい	ソウ くさ	ソウ おく(る)	ソウ くら	ソウ★ す	ソウ まど

創	装	想	層	総	操	造	像	増	蔵	臓	束	足	則	息
ソウ つく(る)	ソウ・ショウ よそお(う)★	ソウ・ソ★	ソウ	ソウ	ソウ みさお★・あやつ(る)	ゾウ つく(る)	ゾウ	ゾウ ま(す)・ふ(える)・ふ(やす)	ゾウ くら	ゾウ	ソク たば	ソク あし・た(りる)・た(る)・た(す)	ソク	ソク いき

速	側	測	族	属	続	卒	率	存	村	孫	尊	損	他
ソク はや(い)・はや(める)・はや(まる)・すみ(やか)	ソク がわ	ソク はか(る)	ゾク	ゾク	ゾク つづ(く)・つづ(ける)	ソツ	ソツ・リツ ひき(いる)	ソン・ゾン	ソン むら	ソン まご	ソン たっと(い)・とうと(い)・たっと(ぶ)・とうと(ぶ)	ソン そこ(なう)・そこ(ねる)	タ ほか

漢字	読み
多	タ おお(い)
打	ダ う(つ)
太	タイ・タ ふと(い)・ふと(る)
対	タイ・ツイ
体	タイ・テイ からだ
待	タイ ま(つ)
退	タイ しりぞ(く)・しりぞ(ける)
帯	タイ お(びる)・おび
貸	タイ か(す)
隊	タイ
態	タイ
大	ダイ・タイ おお・おお(きい)・おお(いに)
代	ダイ・タイ か(わる)・か(える)・よ・しろ
台	ダイ・タイ
第	ダイ
題	ダイ
宅	タク
達	タツ
担	タン かつ(ぐ)★・にな(う)★
単	タン
炭	タン すみ
探	タン さぐ(る)・さが(す)
短	タン みじか(い)
誕	タン
団	ダン・トン★
男	ダン・ナン おとこ
段	ダン
断	ダン た(つ)・ことわ(る)
暖	ダン あたた(か)・あたた(かい)・あたた(まる)・あたた(める)
談	ダン
地	チ・ジ
池	チ いけ
知	チ し(る)
値	チ ね・あたい
置	チ お(く)
竹	チク たけ
築	チク きず(く)
茶	チャ・サ
着	チャク・ジャク★ き(る)・き(せる)・つ(く)・つ(ける)
中	チュウ・ジュウ なか
仲	チュウ なか
虫	チュウ むし
沖	チュウ★ おき
宙	チュウ
忠	チュウ
注	チュウ そそ(ぐ)
昼	チュウ ひる
柱	チュウ はしら
著	チョ あらわ(す)・いちじる(しい)
貯	チョ
丁	チョウ・テイ
庁	チョウ
兆	チョウ きざ(す)★・きざ(し)★
町	チョウ まち
長	チョウ なが(い)
帳	チョウ
張	チョウ は(る)
頂	チョウ いただ(く)・いただき
鳥	チョウ とり
朝	チョウ あさ
腸	チョウ
潮	チョウ しお
調	チョウ しら(べる)・ととの(う)・ととの(える)
直	チョク・ジキ ただ(ちに)・なお(す)・なお(る)
賃	チン
追	ツイ お(う)
通	ツウ・ツ★ とお(る)・とお(す)・かよ(う)
痛	ツウ いた(い)・いた(む)・いた(める)
低	テイ ひく(い)・ひく(める)・ひく(まる)
弟	テイ・ダイ・デ おとうと
定	テイ・ジョウ さだ(める)・さだ(まる)・さだ(か)★
底	テイ そこ
庭	テイ にわ
停	テイ
提	テイ さ(げる)
程	テイ ほど
的	テキ まと
笛	テキ ふえ
適	テキ
敵	テキ かたき
鉄	テツ
天	テン あめ★・あま
典	テン
店	テン みせ
点	テン
展	テン
転	テン ころ(がる)・ころ(げる)・ころ(がす)・ころ(ぶ)
田	デン た
伝	デン つた(わる)・つた(える)・つた(う)
電	デン
徒	ト
都	ト・ツ みやこ
土	ド・ト つち
努	ド つと(める)
度	ド・ト★・タク たび
刀	トウ かたな
冬	トウ ふゆ
灯	トウ ひ★
当	トウ あ(たる)・あ(てる)
投	トウ な(げる)
豆	トウ・ズ まめ
東	トウ ひがし
島	トウ しま
討	トウ う(つ)
党	トウ
湯	トウ ゆ
登	トウ・ト のぼ(る)
答	トウ こた(える)・こた(え)
等	トウ ひと(しい)
統	トウ す(べる)★
糖	トウ
頭	トウ・ズ・ト★ あたま・かしら
同	ドウ おな(じ)
動	ドウ うご(く)・うご(かす)
堂	ドウ
童	ドウ わらべ
道	ドウ・トウ★ みち
働	ドウ はたら(く)
銅	ドウ
導	ドウ みちび(く)
特	トク
得	トク え(る)・う(る)
徳	トク
毒	ドク
独	ドク ひと(り)
読	ドク・トク・トウ よ(む)
栃	とち
届	とど(ける)・とど(く)
奈	ナ
内	ナイ・ダイ うち
梨	なし

漢字	読み
南	ナン・ナ★ みなみ
難	ナン かた(い)★・ むずか(しい)
二	ニ ふた・ふた(つ)
肉	ニク
日	ニチ・ジツ ひ・か
入	ニュウ い(る)・い(れ る)・はい(る)
乳	ニュウ ちち・ち
任	ニン まか(せる)・ まか(す)
認	ニン みと(める)
熱	ネツ あつ(い)
年	ネン とし
念	ネン
燃	ネン も(える)・ も(やす)・ も(す)
納	ノウ・ナッ・ ナ★・ナン★・ トウ おさ(める)・ おさ(まる)
能	ノウ
脳	ノウ
農	ノウ
波	ハ なみ
派	ハ
破	ハ やぶ(る)・ やぶ(れる)
馬	バ うま・ま
拝	ハイ おが(む)
背	ハイ せ・せい・ そむ(く)・ そむ(ける)
肺	ハイ
俳	ハイ
配	ハイ くば(る)
敗	ハイ やぶ(れる)
売	バイ う(る)・ う(れる)
倍	バイ
梅	バイ うめ
買	バイ か(う)
白	ハク・ビャク★ しろ・しら・ しろ(い)
博	ハク・バク★
麦	バク むぎ
箱	はこ
畑	はた・はたけ
八	ハチ や・や(つ)・や っ(つ)・よう
発	ハツ・ホツ
反	ハン・ホン★・ タン そ(る)・ そ(らす)
半	ハン なか(ば)
犯	ハン おか(す)
判	ハン・バン
坂	ハン★ さか
阪	ハン
板	ハン・バン いた
版	ハン
班	ハン
飯	ハン めし
晩	バン
番	バン
比	ヒ くら(べる)
皮	ヒ かわ
否	ヒ いな★
批	ヒ
肥	ヒ こ(える)・ こえ・ こ(やす)・ こ(やし)
非	ヒ
飛	ヒ と(ぶ)・ と(ばす)
秘	ヒ ひ(める)
悲	ヒ かな(しい)・ かな(しむ)
費	ヒ つい(やす)・ つい(える)
美	ビ うつく(しい)
備	ビ そな(える)・ そな(わる)
鼻	ビ はな
必	ヒツ かなら(ず)
筆	ヒツ ふで
百	ヒャク
氷	ヒョウ こおり・ひ★
表	ヒョウ おもて・ あらわ(す)・ あらわ(れる)
俵	ヒョウ たわら
票	ヒョウ
評	ヒョウ
標	ヒョウ
秒	ビョウ
病	ビョウ・ヘイ★ や(む)・やまい
品	ヒン しな
貧	ヒン・ビン まず(しい)
不	フ・ブ
夫	フ・フウ おっと
父	フ ちち
付	フ つ(ける)・ つ(く)
布	フ ぬの
府	フ
阜	フ
負	フ ま(ける)・ま (かす)・お(う)
婦	フ
富	フ・フウ★ と(む)・とみ
武	ブ・ム
部	ブ
風	フウ・フ★ かぜ・かざ
服	フク
副	フク
復	フク
福	フク
腹	フク はら
複	フク
仏	ブツ ほとけ
物	ブツ・モツ もの
粉	フン こ・こな
奮	フン ふる(う)
分	ブン・フン・ブ わ(ける)・ わ(かれる)・ わ(かる)・ わ(かつ)
文	ブン・モン ふみ
聞	ブン・モン★ き(く)・ き(こえる)
平	ヘイ・ビョウ たい(ら)・ ひら
兵	ヘイ・ヒョウ
並	ヘイ なみ・ なら(べる)・ なら(ぶ)・ なら(びに)
陛	ヘイ
閉	ヘイ と(じる)・ と(ざす)・ し(める)・ し(まる)
米	ベイ・マイ こめ
別	ベツ わか(れる)
片	ヘン かた
辺	ヘン あた(り)・ べ
返	ヘン かえ(す)・ かえ(る)
変	ヘン か(わる)・ か(える)
編	ヘン あ(む)
弁	ベン
便	ベン・ビン たよ(り)
勉	ベン
歩	ホ・ブ・フ★ ある(く)・ あゆ(む)
保	ホ たも(つ)
補	ホ おぎな(う)
母	ボ はは
墓	ボ はか
暮	ボ く(れる)・ く(らす)
方	ホウ かた
包	ホウ つつ(む)
宝	ホウ たから
放	ホウ はな(す)・ はな(つ)・ はな(れる)・ ほう(る)
法	ホウ・ハッ★・ ホッ★
訪	ホウ おとず(れる)・ たず(ねる)
報	ホウ むく(いる)
豊	ホウ ゆた(か)
亡	ボウ・モウ★ な(い)★

漢字	読み
忘	ボウ わす(れる)
防	ボウ ふせ(ぐ)
望	ボウ・モウ のぞ(む)
棒	ボウ
貿	ボウ
暴	ボウ・バク あば(く)★・あば(れる)
北	ホク きた
木	ボク・モク き・こ
牧	ボク まき
本	ホン もと
毎	マイ
妹	マイ いもうと
枚	マイ
幕	マク・バク
末	マツ・バツ★ すえ
万	マン・バン
満	マン み(ちる)・み(たす)
未	ミ
味	ミ あじ・あじ(わう)
密	ミツ
脈	ミャク
民	ミン たみ
務	ム つと(める)・つと(まる)
無	ム・ブ な(い)
夢	ム ゆめ
名	メイ・ミョウ な
命	メイ・ミョウ いのち
明	メイ・ミョウ あ(かり)・あか(るい)・あか(るむ)・あか(らむ)・あき(らか)・あ(ける)・あ(く)・あ(くる)・あ(かす)
迷	メイ まよ(う)
盟	メイ
鳴	メイ な(く)・な(る)・な(らす)
面	メン おも・おもて・つら★
綿	メン わた
模	モ・ボ
毛	モウ け
目	モク・ボク め・ま★
門	モン かど
問	モン と(う)・と(い)・とん
夜	ヤ よ・よる
野	ヤ の
役	ヤク・エキ
約	ヤク
訳	ヤク わけ
薬	ヤク くすり
由	ユ・ユウ・ユイ★ よし★
油	ユ あぶら
輸	ユ
友	ユウ とも
有	ユウ・ウ あ(る)
勇	ユウ いさ(む)
郵	ユウ
遊	ユウ・ユ★ あそ(ぶ)
優	ユウ やさ(しい)・すぐ(れる)
予	ヨ
余	ヨ あま(る)・あま(す)
預	ヨ あず(ける)・あず(かる)
幼	ヨウ おさな(い)
用	ヨウ もち(いる)
羊	ヨウ ひつじ
洋	ヨウ
要	ヨウ かなめ・い(る)
容	ヨウ
葉	ヨウ は
陽	ヨウ
様	ヨウ さま
養	ヨウ やしな(う)
曜	ヨウ
浴	ヨク あ(びる)・あ(びせる)
欲	ヨク ほっ(する)★・ほ(しい)
翌	ヨク
来	ライ く(る)・きた(る)・きた(す)
落	ラク お(ちる)・お(とす)
乱	ラン みだ(れる)・みだ(す)
卵	ラン たまご
覧	ラン
利	リ き(く)★
里	リ さと
理	リ
裏	リ うら
陸	リク
立	リツ・リュウ★ た(つ)・た(てる)
律	リツ・リチ★
略	リャク
流	リュウ・ル★ なが(れる)・なが(す)
留	リュウ・ル と(める)・と(まる)
旅	リョ たび
両	リョウ
良	リョウ よ(い)
料	リョウ
量	リョウ はか(る)
領	リョウ
力	リョク・リキ ちから
緑	リョク・ロク★ みどり
林	リン はやし
輪	リン わ
臨	リン のぞ(む)
類	ルイ たぐ(い)
令	レイ
礼	レイ・ライ★
冷	レイ つめ(たい)・ひ(える)・ひ(や)・ひ(やす)・ひ(やかす)・さ(める)・さ(ます)
例	レイ たと(える)
歴	レキ
列	レツ
連	レン つら(なる)・つら(ねる)・つ(れる)
練	レン ね(る)
路	ロ じ
老	ロウ お(いる)・ふ(ける)★
労	ロウ
朗	ロウ ほが(らか)
六	ロク む・む(つ)・むっ(つ)・むい
録	ロク
論	ロン
和	ワ・オ★ やわ(らぐ)・やわ(らげる)・なご(む)・なご(やか)
話	ワ はな(す)・はなし

4級

漢字	読み
握	アク にぎ(る)
扱	あつか(う)
依	イ・エ★
威	イ
為	イ
偉	イ えら(い)
違	イ ちが(う)・ちが(える)
維	イ
緯	イ
壱	イチ
芋	いも
陰	イン かげ・かげ(る)
隠	イン かく(す)・かく(れる)
影	エイ かげ
鋭	エイ するど(い)
越	エツ こ(す)・こ(える)
援	エン
煙	エン けむ(る)・けむり・けむ(い)

漢字	読み
鉛	エン　なまり
縁	エン　ふち
汚	オ　けが(す)★・けが(れる)★・けが(らわしい)★・よご(す)・よご(れる)・きたな(い)
押	オウ★　お(す)・お(さえる)
奥	オウ★　おく
憶	オク
菓	カ
暇	カ　ひま
箇	カ
雅	ガ
介	カイ
戒	カイ　いまし(める)
皆	カイ　みな
壊	カイ　こわ(す)・こわ(れる)
較	カク
獲	カク　え(る)
刈	か(る)
甘	カン　あま(い)・あま(える)・あま(やかす)
汗	カン　あせ
乾	カン　かわ(く)・かわ(かす)
勧	カン　すす(める)
歓	カン
監	カン
環	カン
鑑	カン　かんが(みる)★
含	ガン　ふく(む)・ふく(める)
奇	キ
祈	キ　いの(る)
鬼	キ　おに
幾	キ　いく
輝	キ　かがや(く)
儀	ギ
戯	ギ　たわむ(れる)★
詰	キツ★　つ(める)・つ(まる)・つ(む)
却	キャク
脚	キャク・キャ★　あし
及	キュウ　およ(ぶ)・およ(び)・およ(ぼす)
丘	キュウ　おか
朽	キュウ　く(ちる)
巨	キョ
拠	キョ・コ
距	キョ
御	ギョ・ゴ　おん
凶	キョウ
叫	キョウ　さけ(ぶ)
狂	キョウ　くる(う)・くる(おしい)
況	キョウ
狭	キョウ★　せま(い)・せば(める)・せば(まる)
恐	キョウ　おそ(れる)・おそ(ろしい)
響	キョウ　ひび(く)
驚	キョウ　おどろ(く)・おどろ(かす)
仰	ギョウ・コウ　あお(ぐ)・おお(せ)★
駆	ク　か(ける)・か(る)
屈	クツ
掘	クツ　ほ(る)
繰	く(る)
恵	ケイ・エ　めぐ(む)
傾	ケイ　かたむ(く)・かたむ(ける)
継	ケイ　つ(ぐ)
迎	ゲイ　むか(える)
撃	ゲキ　う(つ)
肩	ケン★　かた
兼	ケン　か(ねる)
剣	ケン　つるぎ
軒	ケン　のき
圏	ケン
堅	ケン　かた(い)
遣	ケン　つか(う)・つか(わす)
玄	ゲン
枯	コ　か(れる)・か(らす)
誇	コ　ほこ(る)
鼓	コ　つづみ★
互	ゴ　たが(い)
抗	コウ
攻	コウ　せ(める)
更	コウ　さら・ふ(ける)★・ふ(かす)★
恒	コウ
荒	コウ　あら(い)・あ(れる)・あ(らす)
項	コウ
稿	コウ
豪	ゴウ
込	こ(む)・こ(める)
婚	コン
鎖	サ　くさり
彩	サイ　いろど(る)★
歳	サイ・セイ
載	サイ　の(せる)・の(る)
剤	ザイ
咲	さ(く)
惨	サン・ザン★　みじ(め)★
旨	シ　むね★
伺	シ★　うかが(う)
刺	シ　さ(す)・さ(さる)
脂	シ　あぶら
紫	シ　むらさき
雌	シ　め・めす
執	シツ・シュウ　と(る)
芝	しば
斜	シャ　なな(め)
煮	シャ★　に(る)・に(える)・に(やす)
釈	シャク
寂	ジャク・セキ★　さび・さび(しい)・さび(れる)
朱	シュ
狩	シュ　か(る)・か(り)
趣	シュ　おもむき
需	ジュ
舟	シュウ　ふね・ふな
秀	シュウ　ひい(でる)★
襲	シュウ　おそ(う)
柔	ジュウ・ニュウ　やわ(らか)・やわ(らかい)
獣	ジュウ　けもの
瞬	シュン　またた(く)★
旬	ジュン・シュン
巡	ジュン　めぐ(る)
盾	ジュン　たて
召	ショウ　め(す)
床	ショウ　とこ・ゆか
沼	ショウ★　ぬま
称	ショウ
紹	ショウ
詳	ショウ　くわ(しい)
丈	ジョウ　たけ
畳	ジョウ　たた(む)・たたみ
殖	ショク　ふ(える)・ふ(やす)
飾	ショク　かざ(る)
触	ショク　ふ(れる)・さわ(る)
侵	シン　おか(す)
振	シン　ふ(る)・ふ(るう)・ふ(れる)
浸	シン　ひた(す)・ひた(る)
寝	シン　ね(る)・ね(かす)
慎	シン　つつし(む)
震	シン　ふる(う)・ふる(える)
薪	シン　たきぎ
尽	ジン　つ(くす)・つ(きる)・つ(かす)

漢字	読み
陣	ジン
尋	ジン　たず(ねる)
吹	スイ　ふ(く)
是	ゼ
姓	セイ・ショウ
征	セイ
跡	セキ　あと
占	セン　し(める)・うらな(う)
扇	セン　おうぎ
鮮	セン　あざ(やか)
訴	ソ　うった(える)
僧	ソウ
燥	ソウ
騒	ソウ　さわ(ぐ)
贈	ゾウ・ソウ　おく(る)
即	ソク
俗	ゾク
耐	タイ　た(える)
替	タイ　か(える)・か(わる)
沢	タク　さわ
拓	タク
濁	ダク　にご(る)・にご(す)
脱	ダツ　ぬ(ぐ)・ぬ(げる)
丹	タン
淡	タン　あわ(い)
嘆	タン　なげ(く)・なげ(かわしい)
端	タン　はし・は★・はた
弾	ダン　ひ(く)・はず(む)・たま
恥	チ　は(じる)・はじ・は(じらう)・は(ずかしい)
致	チ　いた(す)
遅	チ　おく(れる)・おく(らす)・おそ(い)
蓄	チク　たくわ(える)
跳	チョウ　は(ねる)・と(ぶ)
徴	チョウ
澄	チョウ★　す(む)・す(ます)
沈	チン　しず(む)・しず(める)
珍	チン　めずら(しい)
抵	テイ
堤	テイ　つつみ
摘	テキ　つ(む)
滴	テキ　しずく・したた(る)★
添	テン　そ(える)・そ(う)
殿	デン・テン　との・どの
吐	ト　は(く)
途	ト
渡	ト　わた(る)・わた(す)
奴	ド
怒	ド　いか(る)・おこ(る)
到	トウ
逃	トウ　に(げる)・に(がす)・のが(す)・のが(れる)
倒	トウ　たお(れる)・たお(す)
唐	トウ　から
桃	トウ　もも
透	トウ　す(く)・す(かす)・す(ける)
盗	トウ　ぬす(む)
塔	トウ
稲	トウ　いね・いな
踏	トウ　ふ(む)・ふ(まえる)
闘	トウ　たたか(う)
胴	ドウ
峠	とうげ
突	トツ　つ(く)
鈍	ドン　にぶ(い)・にぶ(る)
曇	ドン　くも(る)
弐	ニ
悩	ノウ　なや(む)・なや(ます)
濃	ノウ　こ(い)
杯	ハイ　さかずき
輩	ハイ
拍	ハク・ヒョウ
泊	ハク　と(まる)・と(める)
迫	ハク　せま(る)
薄	ハク　うす(い)・うす(める)・うす(まる)・うす(らぐ)・うす(れる)
爆	バク
髪	ハツ　かみ
抜	バツ　ぬ(く)・ぬ(ける)・ぬ(かす)・ぬ(かる)
罰	バツ・バチ
般	ハン
販	ハン
搬	ハン
範	ハン
繁	ハン
盤	バン
彼	ヒ　かれ・かの
疲	ヒ　つか(れる)
被	ヒ　こうむ(る)
避	ヒ　さ(ける)
尾	ビ　お
微	ビ
匹	ヒツ　ひき
描	ビョウ　えが(く)・か(く)
浜	ヒン　はま
敏	ビン
怖	フ　こわ(い)
浮	フ　う(く)・う(かれる)・う(かぶ)・う(かべる)
普	フ
腐	フ　くさ(る)・くさ(れる)・くさ(らす)
敷	フ★　し(く)
膚	フ
賦	フ
舞	ブ　ま(う)・まい
幅	フク　はば
払	フツ★　はら(う)
噴	フン　ふ(く)
柄	ヘイ　がら・え★
壁	ヘキ　かべ
捕	ホ　と(らえる)・と(らわれる)・と(る)・つか(まえる)・つか(まる)
舗	ホ
抱	ホウ　だ(く)・いだ(く)・かか(える)
峰	ホウ　みね
砲	ホウ
忙	ボウ　いそが(しい)
坊	ボウ・ボッ
肪	ボウ
冒	ボウ　おか(す)
傍	ボウ　かたわ(ら)★
帽	ボウ
凡	ボン・ハン★
盆	ボン
慢	マン
漫	マン
妙	ミョウ
眠	ミン　ねむ(る)・ねむ(い)
矛	ム　ほこ
霧	ム　きり
娘	むすめ
茂	モ　しげ(る)
猛	モウ
網	モウ　あみ
黙	モク　だま(る)
紋	モン
躍	ヤク　おど(る)
雄	ユウ　お・おす

漢字	読み
与	ヨ あた(える)
誉	ヨ ほま(れ)
溶	ヨウ と(ける)・と(かす)・と(く)
腰	ヨウ★ こし
踊	ヨウ おど(る)・おど(り)
謡	ヨウ うたい★・うた(う)★
翼	ヨク つばさ
雷	ライ かみなり
頼	ライ たの(む)・たの(もしい)・たよ(る)
絡	ラク から(む)★・から(まる)★・から(める)★
欄	ラン
離	リ はな(れる)・はな(す)
粒	リュウ つぶ
慮	リョ
療	リョウ
隣	リン とな(る)・となり
涙	ルイ なみだ
隷	レイ
齢	レイ
麗	レイ うるわ(しい)★
暦	レキ こよみ
劣	レツ おと(る)
烈	レツ
恋	レン こ(う)・こい・こい(しい)
露	ロ・ロウ つゆ
郎	ロウ
惑	ワク まど(う)
腕	ワン うで

3級

漢字	読み
哀	アイ あわ(れ)・あわ(れむ)
慰	イ なぐさ(める)・なぐさ(む)
詠	エイ よ(む)★
悦	エツ
閲	エツ
炎	エン ほのお
宴	エン
欧	オウ
殴	オウ★ なぐ(る)
乙	オツ
卸	おろ(す)・おろし
穏	オン おだ(やか)
佳	カ
架	カ か(ける)・か(かる)
華	カ・ケ★ はな
嫁	カ★ よめ・とつ(ぐ)
餓	ガ
怪	カイ あや(しい)・あや(しむ)
悔	カイ く(いる)・く(やむ)・くや(しい)
塊	カイ かたまり
慨	ガイ
該	ガイ
概	ガイ
郭	カク
隔	カク へだ(てる)・へだ(たる)
穫	カク
岳	ガク たけ
掛	か(ける)・か(かる)・かかり
滑	カツ・コツ すべ(る)・なめ(らか)
肝	カン きも
冠	カン かんむり
勘	カン
貫	カン つらぬ(く)
喚	カン
換	カン か(える)・か(わる)
敢	カン
緩	カン ゆる(い)・ゆる(やか)・ゆる(む)・ゆる(める)
企	キ くわだ(てる)
忌	キ い(む)★・い(まわしい)★
軌	キ
既	キ すで(に)
棋	キ
棄	キ
騎	キ
欺	ギ あざむ(く)
犠	ギ
菊	キク
吉	キチ・キツ
喫	キツ
虐	ギャク しいた(げる)★
虚	キョ・コ★
峡	キョウ
脅	キョウ おびや(かす)★・おど(す)・おど(かす)
凝	ギョウ こ(る)・こ(らす)
斤	キン
緊	キン
愚	グ おろ(か)
偶	グウ
遇	グウ
刑	ケイ
契	ケイ ちぎ(る)★
啓	ケイ
掲	ケイ かか(げる)
携	ケイ たずさ(える)・たずさ(わる)
憩	ケイ いこ(い)・いこ(う)★
鶏	ケイ にわとり
鯨	ゲイ くじら
倹	ケン
賢	ケン かしこ(い)
幻	ゲン まぼろし
孤	コ
弧	コ
雇	コ やと(う)
顧	コ かえり(みる)
娯	ゴ
悟	ゴ さと(る)
孔	コウ
巧	コウ たく(み)
甲	コウ・カン
坑	コウ
拘	コウ
郊	コウ
控	コウ★ ひか(える)
慌	コウ★ あわ(てる)・あわ(ただしい)
硬	コウ かた(い)
絞	コウ★ しぼ(る)・し(める)・し(まる)
綱	コウ つな
酵	コウ
克	コク
獄	ゴク
恨	コン うら(む)・うら(めしい)
紺	コン
魂	コン たましい
墾	コン
債	サイ
催	サイ もよお(す)
削	サク けず(る)
搾	サク★ しぼ(る)
錯	サク
撮	サツ と(る)
擦	サツ す(る)・す(れる)
暫	ザン
祉	シ

徐	如	遵	潤	寿	殊	邪	赦	湿	疾	軸	慈	侍	諮	施
ジョ	ジョ・ニョ★	ジュン	ジュン うるお(う)・うるお(す)・うる(む)	ジュ ことぶき	シュ こと	ジャ	シャ	シツ しめ(る)・しめ(す)	シツ	ジク	ジ いつく(しむ)★	ジ さむらい	シ はか(る)	シ・セ★ ほどこ(す)

辛	伸	辱	嘱	譲	錠	嬢	冗	鐘	衝	焦	晶	掌	昇	匠
シン から(い)	シン の(びる)・の(ばす)・の(べる)	ジョク はずかし(める)★	ショク	ジョウ ゆず(る)	ジョウ	ジョウ	ジョウ	ショウ かね	ショウ	ショウ こ(げる)・こ(がす)・こ(がれる)・あせ(る)★	ショウ	ショウ	ショウ のぼ(る)	ショウ

惜	隻	斥	請	婿	牲	瀬	髄	随	穂	遂	酔	衰	粋	炊	審
セキ お(しい)・お(しむ)	セキ	セキ	セイ・シン★ こ(う)★・う(ける)	セイ★ むこ	セイ	せ	ズイ	ズイ	スイ★ ほ	スイ と(げる)	スイ よ(う)	スイ おとろ(える)	スイ いき	スイ た(く)	シン

促	憎	遭	葬	掃	桑	双	礎	粗	措	阻	繕	潜	摂	籍
ソク うなが(す)	ゾウ にく(む)・にく(い)・にく(らしい)・にく(しみ)	ソウ あ(う)	ソウ ほうむ(る)★	ソウ は(く)	ソウ★ くわ	ソウ ふた	ソ いしずえ★	ソ あら(い)	ソ	ソ はば(む)★	ゼン つくろ(う)	セン ひそ(む)・もぐ(る)	セツ	セキ

稚	壇	鍛	胆	奪	諾	託	卓	択	滝	滞	逮	袋	胎	怠	賊
チ	ダン・タン★	タン きた(える)	タン	ダツ うば(う)	ダク	タク	タク	タク	たき	タイ とどこお(る)	タイ	タイ★ ふくろ	タイ	タイ おこた(る)・なま(ける)	ゾク

哲	締	訂	帝	墜	鎮	陳	聴	超	彫	駐	鋳	抽	窒	畜
テツ	テイ し(まる)・し(める)	テイ	テイ	ツイ	チン しず(める)★・しず(まる)★	チン	チョウ き(く)	チョウ こ(える)・こ(す)	チョウ ほ(る)	チュウ	チュウ い(る)	チュウ	チツ	チク

帆	伐	縛	陪	排	婆	粘	尿	豚	篤	匿	痘	陶	凍	塗	斗
ハン ほ	バツ	バク しば(る)	バイ	ハイ	バ	ネン ねば(る)	ニョウ	トン ぶた	トク	トク	トウ	トウ	トウ こお(る)・こご(える)	ト ぬ(る)	ト

	伏	封	符	赴	苗	漂	姫	泌	碑	卑	蛮	藩	畔	伴
	フク ふ(せる)・ふ(す)	フウ・ホウ	フ	フ おもむ(く)	ビョウ★ なえ・なわ	ヒョウ ただよ(う)	ひめ	ヒツ・ヒ★	ヒ	ヒ いや(しい)★・いや(しむ)★・いや(しめる)★	バン	ハン	ハン	ハン・バン ともな(う)

飽	崩	倣	胞	奉	邦	芳	簿	慕	募	癖	墳	紛	覆
ホウ あ(きる)・あ(かす)	ホウ くず(れる)・くず(す)	ホウ なら(う)★	ホウ	ホウ・ブ たてまつ(る)★	ホウ	ホウ かんば(しい)★	ボ	ボ した(う)	ボ つの(る)	ヘキ くせ	フン	フン まぎ(れる)・まぎ(らす)・まぎ(らわす)・まぎ(らわしい)	フク おお(う)・くつがえ(す)★・くつがえ(る)★

縫	乏	妨	房	某	膨	謀	墨	没	翻	魔	埋	膜	又
ホウ ぬ(う)	ボウ とぼ(しい)	ボウ さまた(げる)	ボウ ふさ	ボウ	ボウ ふく(らむ)・ふく(れる)	ボウ・ム★ はか(る)★	ボク すみ	ボツ	ホン ひるがえ(る)★・ひるがえ(す)★	マ	マイ う(める)・う(まる)・う(もれる)	マク	また

魅	滅	免	幽	誘	憂	揚	揺	擁	抑	裸	濫	吏	隆
ミ	メツ ほろ(びる)・ほろ(ぼす)	メン まぬか(れる)★	ユウ	ユウ さそ(う)	ユウ うれ(える)・うれ(い)・う(い)★	ヨウ あ(げる)・あ(がる)	ヨウ ゆ(れる)・ゆ(る)・ゆ(らぐ)・ゆ(るぐ)・ゆ(する)・ゆ(さぶる)・ゆ(すぶる)	ヨウ	ヨク おさ(える)	ラ はだか	ラン	リ	リュウ

了	猟	陵	糧	厘	励	零	霊	裂	廉	錬	炉	浪	廊	楼
リョウ	リョウ	リョウ みささぎ★	リョウ・ロウ★ かて★	リン	レイ はげ(む)・はげ(ます)	レイ	レイ・リョウ★ たま★	レツ さ(く)・さ(ける)	レン	レン	ロ	ロウ	ロウ	ロウ

漏	湾
ロウ も(る)・も(れる)・も(らす)	ワン

Memo

ここまでで準２級配当漢字のすべてを学習しましたが、書き取りの問題で、何度もまちがえてしまうような漢字はありましたか？自分が苦手な漢字をピックアップして、何度も練習してみましょう。

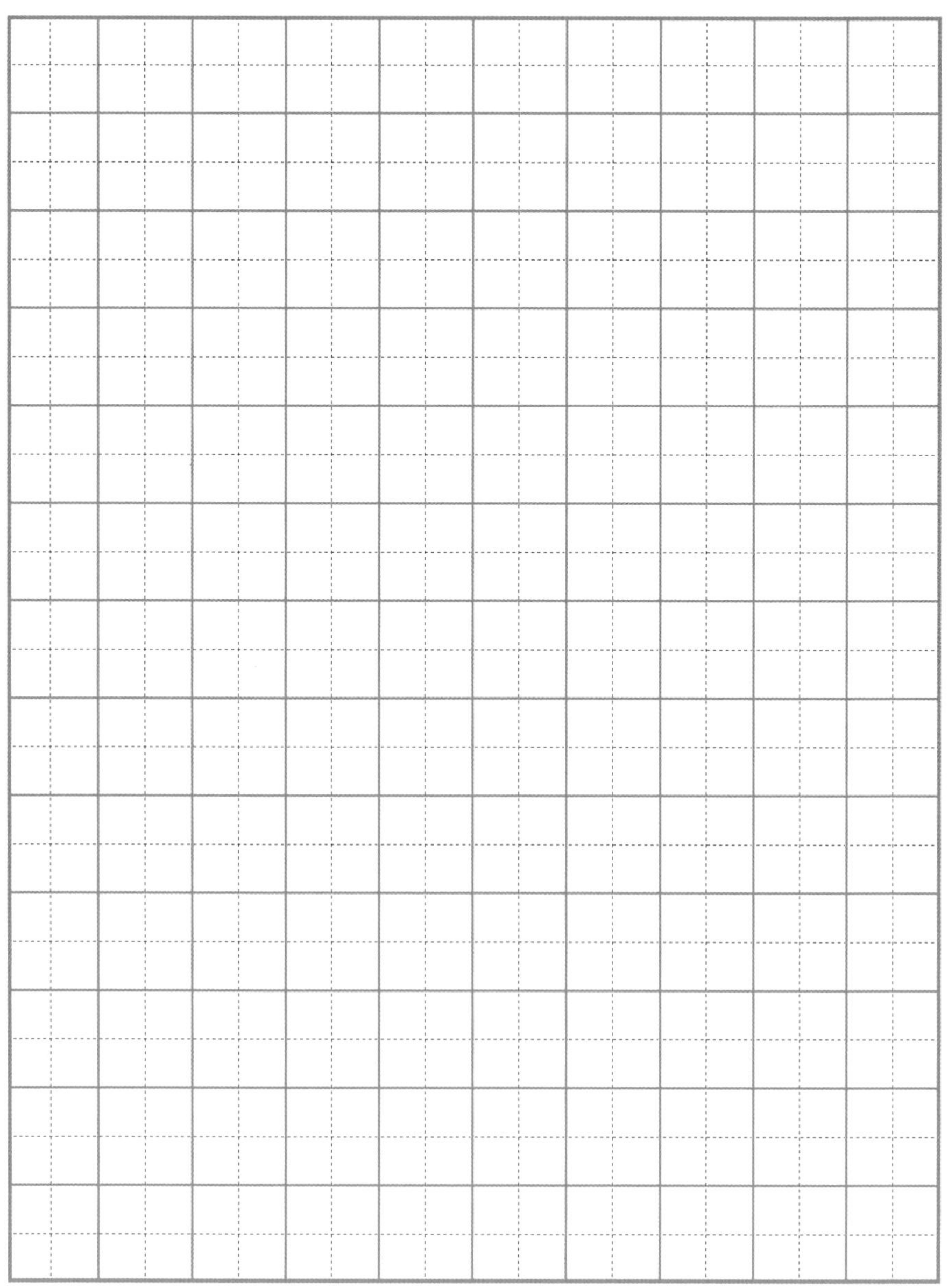

第1回 模擬試験問題 解答

別冊 2〜7ページ

1

1 きんこう
2 じょう
3 しゅくぜん
4 しゅうしゅう
5 がいかつ
6 ていげん
7 ちせつ
8 やぼ
9 はんか
10 けいふ
11 しきんせき
12 ゆえつ
13 ふよう
14 かんかつ
15 ちくじ
16 きょうゆ
17 かっぱ
18 さんどう
19 きんてい
20 はいえつ
21 たまわ
22 すた
23 ととの
24 すず
25 さ
26 ほま
27 た
28 あま
29 もっぱ
30 さえぎ

2

1 釆
2 麻
3 爫
4 氺
5 虫
6 歹
7 山
8 巾
9 田
10 虍

3

1 ウ
2 ア
3 エ
4 ウ
5 イ
6 エ
7 ウ
8 イ
9 ア
10 オ

4

1 鬼
2 福
3 却
4 驚
5 慮
6 髪
7 亡
8 沈
9 衰
10 俊
11 キ
12 ア
13 カ
14 オ
15 コ

5

1 実践
2 束縛
3 美麗
4 勤勉
5 謙虚
6 頑固
7 匹敵
8 永眠
9 激怒
10 肯定

6

1 盲
2 網
3 環
4 寛
5 依
6 維
7 献
8 顕
9 踏
10 振

7

1 的・摘
2 抜・伐
3 裁・載
4 位・囲
5 査・鎖

8

1 珍しく
2 含ま
3 渋い
4 潤う
5 輝かしい

9

1 累計
2 粘土
3 制覇
4 基礎
5 瞬間
6 眺望
7 歌謡
8 完了
9 洪水
10 結晶
11 過疎
12 割愛
13 柔軟
14 肖像
15 病棟
16 吐息
17 殻
18 酔
19 霜焼
20 祈
21 甚
22 誓
23 繰
24 揺
25 堤

第2回 模擬試験問題 解答

別冊 8〜13ページ

1

1 りょしゅう
2 ろけん
3 ぼくじゅう
4 だじゃく
5 とくそく
6 けんえん
7 てつびん
8 じょけい
9 せんりゅう
10 ゆうよ
11 こうはい
12 きょうさ
13 りゅうじん
14 ちかく
15 ほんぽう
16 ばいかい
17 けんしん
18 ぎんじょう
19 かんきゅう
20 こうばく
21 す
22 ほ
23 はなお
24 か
25 しの
26 さと
27 かま
28 つぼにわ
29 しぶかわ
30 おちい

2

1 火
2 亠
3 十
4 罒
5 力
6 音
7 ⺗
8 口
9 彡
10 石

3

1 イ
2 ウ
3 イ
4 ウ
5 ア
6 オ
7 エ
8 ウ
9 エ
10 ア

4

1 夢
2 如
3 適
4 客
5 即
6 遍
7 戒
8 柔
9 騒
10 範
11 オ
12 コ
13 ア
14 ク
15 エ

5

1 凡人
2 漆黒
3 派遣
4 末端
5 消耗
6 左遷
7 追憶
8 仰天
9 熟睡
10 混乱

6

1 婚
2 懇
3 旋
4 潜
5 紳
6 診
7 傍
8 剖
9 澄
10 済

7

1 況・響
2 頒・販
3 拠・去
4 賓・頻
5 演・援

8

1 悩ます
2 眺める
3 掲げる
4 恥じる
5 被る

9

1 愉快
2 往来
3 挑戦
4 栓
5 摂取
6 唐突
7 昆布
8 返却
9 免除
10 把握
11 制御
12 亜熱帯
13 喫茶
14 芳香
15 急騰
16 妊婦
17 網棚
18 漬
19 弾
20 脅
21 敷
22 襟
23 涼
24 畳
25 既

第3回 模擬試験問題 解答

別冊 14〜19ページ

1

1 ようしょう　2 しさく　3 へいどく　4 こくじ　5 せんせい　6 てきぎ　7 だぶん　8 かもく　9 かんてい　10 そうこく　11 じゅんしゅ　12 いご　13 すうけい　14 ぜんじ　15 たいと　16 めいか　17 ごうちょく　18 じょうよ　19 げか　20 しゅさい　21 うじがみ　22 かろ　23 くつず　24 おおわく　25 かきね　26 けぎら　27 つい　28 か　29 よい　30 なかす

2

1 广　2 缶　3 一　4 戸　5 手　6 欠　7 貝　8 瓦　9 大　10 車

3

1 ア　2 ウ　3 イ　4 ア　5 イ　6 エ　7 オ　8 エ　9 ウ　10 イ

4

1 薄　2 離　3 鋭　4 呉　5 折　6 扇　7 依　8 紫　9 巧　10 暮　11 カ　12 ウ　13 コ　14 イ　15 キ

5

1 低俗　2 一斉　3 祝賀　4 拒否　5 威圧　6 互角　7 報酬　8 抜群　9 邸宅　10 汚名

6

1 更　2 甲　3 痴　4 致　5 窮　6 及　7 丁　8 偵　9 刈　10 駆

7

1 規・棄　2 朗・露　3 効・興　4 礼・麗　5 待・逮

8

1 劣っ　2 携わる　3 甘やかす　4 飢える　5 鈍く

9

1 清涼　2 素朴　3 斜線　4 幻想　5 形跡　6 洗濯　7 撮影　8 帰還　9 輩出　10 生涯　11 審判　12 発端　13 矯正　14 貫通　15 唯一　16 疾患　17 慌　18 沸　19 償　20 狂　21 癒　22 煮詰　23 励　24 血眼　25 煩

第4回 模擬試験問題 解答

別冊 20〜25ページ

1

1 ちゅうよう
2 くちゅう
3 けんぎ
4 かんぷ
5 しんぎ
6 げんぽう
7 きょうらく
8 しゅこう
9 あんいつ
10 ちゅうとん
11 ばいしゃく
12 かいゆ
13 きゅうてい
14 たいよ
15 いんりつ
16 しゃくい
17 しょうやく
18 はばつ
19 ふんさい
20 こうぐう
21 おそれ
22 ゆうば
23 まかな
24 はたあ
25 うるしぬ
26 たなおろ
27 う
28 えりくび
29 かたよ
30 てぜま

2

1 寸
2 穴
3 口
4 木
5 儿
6 日
7 二
8 艹
9 衣
10 斉

3

1 オ
2 イ
3 ウ
4 ウ
5 エ
6 ア
7 イ
8 ア
9 ウ
10 エ

4

1 船
2 歴
3 様
4 懲
5 尾
6 平
7 翼
8 吉
9 拠
10 健
11 ア
12 オ
13 キ
14 ウ
15 カ

5

1 侵害
2 濃縮
3 迅速
4 簡略
5 過剰
6 削除
7 延期
8 遺憾
9 忍耐
10 介入

6

1 称
2 床
3 核
4 嚇
5 騒
6 壮
7 彫
8 徴
9 詰
10 釣

7

1 欲・抑
2 屈・掘
3 販・搬
4 依・維
5 等・悼

8

1 誇らしく
2 傾く
3 薄める
4 惜しい
5 醜い

9

1 神妙
2 酪農
3 豪華
4 銘
5 感涙
6 吟味
7 果敢
8 洞察
9 大胆
10 融資
11 露骨
12 蛍光
13 宿泊
14 昇進
15 秩序
16 渓谷
17 稼
18 暦
19 滑
20 頼
21 挟
22 憎
23 尽
24 戻
25 渇

第5回 模擬試験問題 解答

別冊 26〜31ページ

1

1 ちゅうさい　2 あんかん　3 ぎんえい
4 ふつふつ　5 まんべん　6 ていかん
7 しっき　8 ししゅく　9 そうにゅう
10 くんこう　11 こうどく　12 せいしょう
13 へんせん　14 かんぷ　15 とうほん
16 こくひん　17 かこん　18 かんらく
19 かんしょう　20 だっかん　21 のぞ
22 くら　23 いつわ　24 あわ　25 はか
26 とむら　27 うけたまわ　28 ますめ
29 ただ　30 も

2

1 弓　2 甘　3 一　4 行　5 聿　6 又
7 自　8 殳　9 冂　10 宀

3

1 エ　2 イ　3 エ　4 ア　5 エ　6 ウ
7 イ　8 ア　9 オ　10 ウ

4

1 霧　2 劣　3 周　4 到　5 罰　6 衣
7 没　8 辞　9 忍　10 是　11 エ　12 ケ
13 キ　14 ウ　15 ア

5

1 獲得　2 崇拝　3 一括　4 偉大
5 汚濁　6 妥協　7 悠久　8 沈着
9 尽力　10 考慮

6

1 載　2 債　3 裕　4 雄　5 皆　6 介
7 盗　8 筒　9 吐　10 履

7

1 激・撃　2 窮・朽　3 苦・駆　4 煩・繁
5 媒・培

8

1 伸ばす　2 浸る　3 恐ろしい　4 砕ける
5 及ぼす

9

1 懐中　2 循環　3 焦点　4 逸話
5 浮上　6 同伴　7 暗黙　8 倫理
9 打撲　10 快諾　11 屈折　12 炎症
13 欧米　14 執筆　15 羅列　16 風鈴
17 溝　18 堀　19 嫌　20 損　21 懲　22 緩
23 催　24 和　25 芝生

本試験の答案用紙のサンプル

本試験で配られるB4サイズの答案用紙は、裏まで続いています。また、記入の仕方には、記述式とマークシート方式があります。受検する前に一度確認しておきましょう。

表面

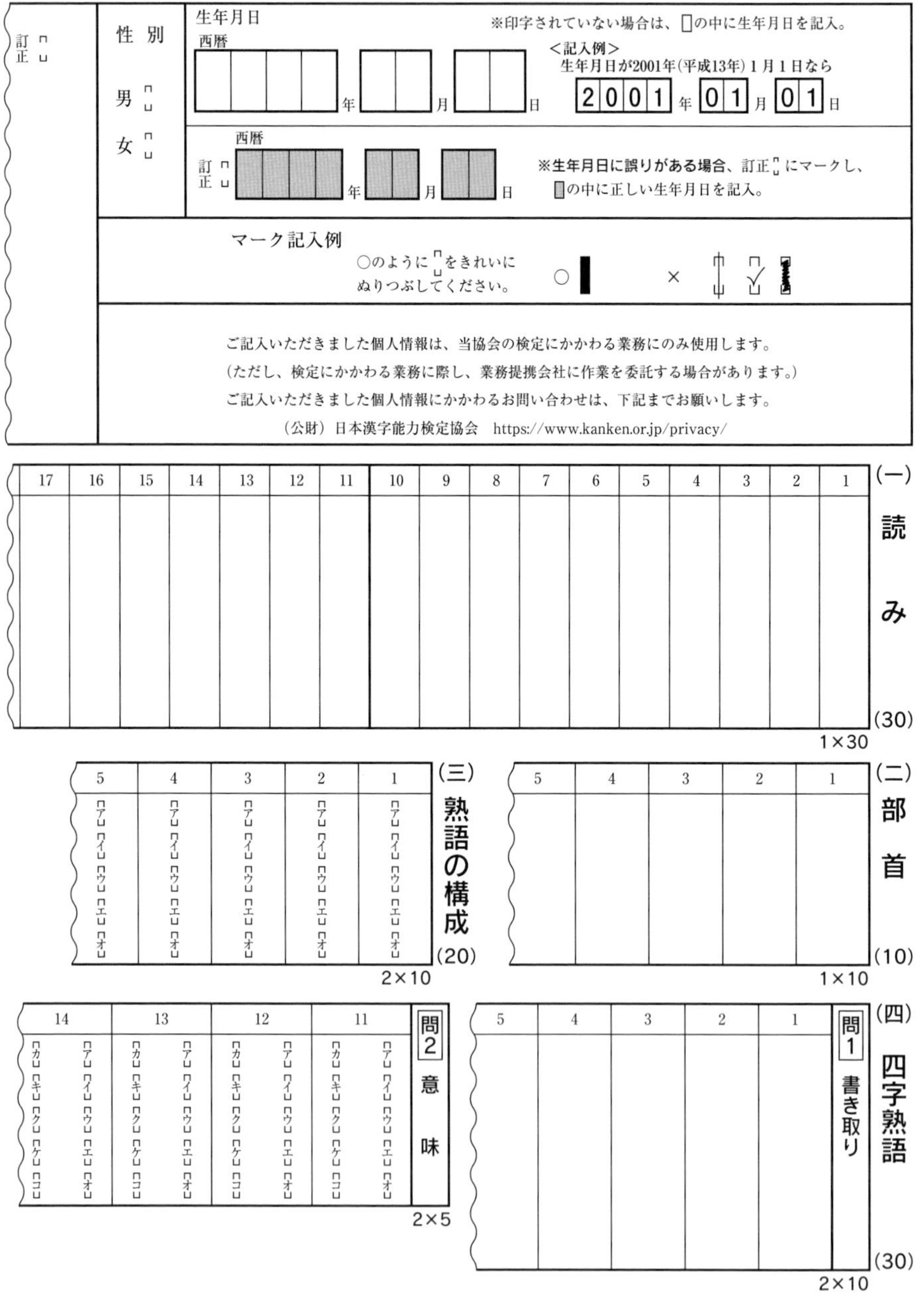
訂正
性別
男
女
生年月日
西暦
年 月 日
※印字されていない場合は、□の中に生年月日を記入。
<記入例>
生年月日が2001年(平成13年)1月1日なら
2001年01月01日
西暦
訂正
年 月 日
※生年月日に誤りがある場合、訂正にマークし、
□の中に正しい生年月日を記入。
マーク記入例
○のようにをきれいにぬりつぶしてください。
○ ×
ご記入いただきました個人情報は、当協会の検定にかかわる業務にのみ使用します。

(ただし、検定にかかわる業務に際し、業務提携会社に作業を委託する場合があります。)

ご記入いただきました個人情報にかかわるお問い合わせは、下記までお願いします。

(公財)日本漢字能力検定協会 https://www.kanken.or.jp/privacy/
(一) 読み (30) 1×30
17 16 15 14 13 12 11 10 9 8 7 6 5 4 3 2 1
(三) 熟語の構成 (20) 2×10
5 4 3 2 1
ア イ ウ エ オ
(二) 部首 (10) 1×10
5 4 3 2 1
(四) 四字熟語 (30) 2×10
問2 意味 2×5
14 13 12 11
カ キ ク ケ コ ア イ ウ エ オ
問1 書き取り
5 4 3 2 1

※答案用紙には、氏名、受検番号、生年月日などがあらかじめ印字されています。
※表面の「(三) 熟語の構成」「(四) 四字熟語 問2」はマークシート方式です。

裏面

(五) 対義語・類義語 (20) 2×10

1	2	3	4	5	6

(六) 同音・同訓異字 (20) 2×10

1	2	3	4	5

(七) 誤字訂正 (10) 2×5

	1	2	3
誤			
正			

(八) 送りがな (10) 2×5

1	2	3

(九) 書き取り (50) 2×25

1	2	3

※裏面の「(五) 対義語・類義語」「(六) 同音・同訓異字」「(七) 誤字訂正」「(八) 送りがな」「(九) 書き取り」は記述式となります。

その他の注意点

用紙は折り曲げたり、汚したりしてはいけません。

答えが書けなくても必ず提出しましょう。

また、マークシート方式の場合は、次のような場合は無効になりますので、注意してください。

・ボールペンでマークした場合
・マークがうすい場合
・マークが欄からはみ出している場合
・二つ以上マークした場合

HB以上の濃い鉛筆またはシャープペンシルできれいに塗りつぶしましょう。

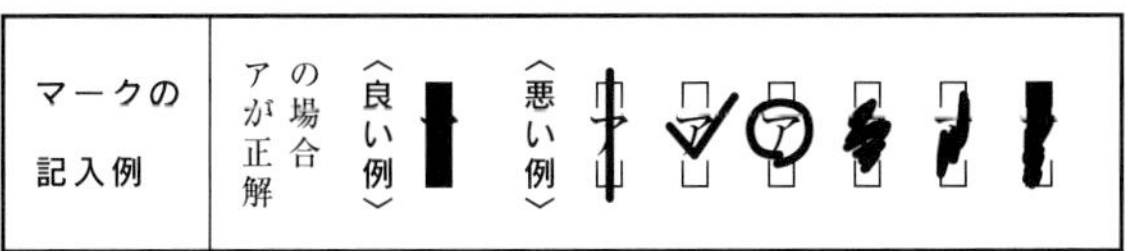

マークの記入例
アが正解の場合
〈良い例〉
〈悪い例〉

●編者
漢字学習教育推進研究会
大学教授ほか教育関係者、漢字検定1級取得者が中心となり、過去問題を分析、効率的な漢字学習法を研究している。

■お問い合わせについて

- 本書の内容に関するお問い合わせは、**書名・発行年月日を必ず明記**のうえ、文書・ＦＡＸ・メールにて下記にご連絡ください。電話によるお問い合わせは、受け付けておりません。
- 本書の内容を超える質問にはお答えできませんので、あらかじめご了承ください。

本書の正誤情報などについてはこちらからご確認ください。

(https://www.shin-sei.co.jp/np/seigo.html)

- お問い合わせいただく前に上記アドレスのページにて、すでに掲載されている内容かどうかをご確認ください。
- 本書に関する質問受付は、2026年2月末までとさせていただきます。

●**文　書：〒110-0016 東京都台東区台東2-24-10 (株)新星出版社 読者質問係**
●**ＦＡＸ：03-3831-0902**
●**メール：https://www.shin-sei.co.jp/np/contact.html**

■協会のお問い合わせ窓口
最新の情報は**公益財団法人日本漢字能力検定協会**にご確認ください。

●電話でのお問い合わせ：**0120-509-315（無料）**
●HPアドレス　：**https://www.kanken.or.jp/kanken/contact/**

頻出度順 漢字検定準２級 合格！ 問題集

2024年２月25日　初版発行

編　者　漢字学習教育推進研究会
発行者　富　永　靖　弘
印刷所　今家印刷株式会社

発行所　東京都台東区台東２丁目24　株式会社　新星出版社
〒110-0016　☎03(3831)0743

別冊

2024年度版

頻出度順

漢字検定準2級 合格！問題集

この別冊は本冊から取り外して使用することができます

第1回模擬試験問題 …………………… 2
（解答は本冊 193 ページ）

第2回模擬試験問題 …………………… 8
（解答は本冊 194 ページ）

第3回模擬試験問題 …………………… 14
（解答は本冊 195 ページ）

第4回模擬試験問題 …………………… 20
（解答は本冊 196 ページ）

第5回模擬試験問題 …………………… 26
（解答は本冊 197 ページ）

※本試験の答案用紙のサンプルは、本冊 198 ページにあります。本試験を受検する前に必ず確認しておきましょう。

※本書は2024年２月現在の情報をもとに作成しています。最新の情報に関しては公益財団法人日本漢字能力検定協会（本冊７ページ）にお問い合わせください。

新星出版社

第1回 模擬試験問題

試験時間 60分
合格ライン 140点
得点 /200 月 日

1 次の――線の**漢字の読み**を**ひらがな**で記せ。 /30 (1×30)

1 仕事と家庭生活の均衡を図る。
2 滋養に富む食物を多くとる。
3 参列者は粛然とした面持ちだった。
4 問題続出で収拾がつかない。
5 講義の内容を概括して述べる。
6 穀物の生産量が逓減する。
7 稚拙な戦略により失敗に終わった。
8 野暮なことを尋ねて笑われた。
9 パンフレットの頒価を決める。
10 正統派の系譜を受け継いでいる。
11 業界の今後を占う試金石となる。

27 聞くに堪えないうわさを耳にした。
28 出家して尼となり修行を積む。
29 夕食後は専ら本を読んでいる。
30 生い茂る草に視界を遮られた。

2 次の漢字の**部首**を記せ。

〈例〉菜〔艹〕 間〔門〕

1 釈
2 麻
3 爵
4 泰
6 殉
7 凸
8 帥
9 畝

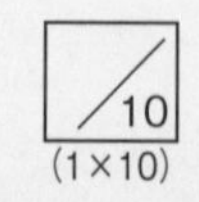
/10 (1×10)

12 名曲を聴きながら愉悦に浸った。

13 年老いた両親を扶養する。

14 地域を管轄する警察署に行く。

15 文学全集が逐次刊行される。

16 兄は中学校の国語の教諭だ。

17 問題の本質を見事に喝破する。

18 岩壁を削って造られた桟道を通る。

19 学生時代の恩師に自著を謹呈する。

20 大名が将軍に拝謁する。

21 出席者から祝辞を賜る。

22 人の流れが変わって街が廃れた。

23 料理の最後に味を調えた。

24 鈴のついたお守りを身につける。

25 切り取った枝を挿し木にする。

26 名著として誉れが高い随筆だ。

---

5 蛍

10 虞

3 **熟語の構成**のしかたには次のようなものがある。

/20 (2×10)

ア 同じような意味の漢字を重ねたもの……（**岩石**）

イ 反対または対応の意味を表す字を重ねたもの……（**高低**）

ウ 上の字が下の字を修飾しているもの……（**洋画**）

エ 下の字が上の字の目的語・補語になっているもの……（**着席**）

オ 上の字が下の字の意味を打ち消しているもの……（**非常**）

次の熟語は右の**ア～オ**のどれにあたるか、**一つ**選び、**記号**で記せ。

1 庶務

2 枢要

3 奨学

4 奔流

5 往還

6 検疫

7 独吟

8 衆寡

9 安寧

10 不穏

4 次の**四字熟語**について、問1と問2に答えよ。

問1 後の□内のひらがなを**漢字**にして□の中に入れ、**四字熟語**を完成せよ。□内のひらがなは一度だけ使い、**漢字一字**で記せ。

/20 (2×10)

ア □1 面仏心

イ 禍□2 得喪

ウ 心頭滅□3

エ □4 天動地

オ 熟□5 断行

カ 危機一□6

キ 多岐□7 羊

ク □8 思黙考

ケ 栄枯盛□9

コ 英□10 豪傑

5 次の1～5の**対義語**、6～10の**類義語**を後の□の中から選び、**漢字**で記せ。□の中の語は一度だけ使うこと。

/20 (2×10)

対義語

1 理論（　）

2 解放（　）

3 醜悪（　）

4 怠惰（　）

5 尊大（　）

類義語

6 強情（　）

7 同等（　）

8 逝去（　）

9 憤慨（　）

10 是認（　）

えいみん・がんこ・きんべん・げきど
けんきょ・こうてい・じっせん
そくばく・ひってき・びれい

き・きゃく・きょう・しゅん
すい・ちん・ぱつ・ふく
ぼう・りょ

問2 次の11〜15の**意味**にあてはまるものを**問1**の**ア〜コの四字熟語**から**一つ**選び、**記号**で記せ。

/10 (2×5)

11 方針がいろいろあって迷うこと。（　）

12 見た目は恐ろしいが優しいこと。（　）

13 ちょっとした差で大変なことになる状況。（　）

14 よく考えたうえで思い切ってすること。（　）

15 人並み外れて優れている人物。（　）

6 次の——線の**カタカナ**を**漢字**に直せ。

/20 (2×10)

1 防犯システムの**モウ**点をつく。（　）

2 あらゆる情報を**モウ**羅している。（　）

3 **カン**境のよい郊外に転居する。（　）

4 **カン**大な処置を願う。（　）

5 親に経済的に**イ**存している。（　）

6 食物繊**イ**が豊富な食品をとる。（　）

7 チームの優勝に貢**ケン**する。（　）

8 **ケン**微鏡で微生物を見る。（　）

9 前例を**フ**まえて判断する。（　）

10 メーターの針が左右に**フ**れた。（　）

7 次の各文にまちがって使われている**同じ読みの漢字**が**一字**ある。**上に誤字**を、**下に正しい漢字**を記せ。

/10 (2×5)

1 特殊詐欺グループの的発や手口の周知が功を奏し、被害額が減少した。（　・　）

2 森林の抜採による二酸化炭素の排出は地球温暖化を加速させている。（　・　）

3 人工知能を搭裁したロボット掃除機の導入が家事の負担の軽減につながった。（　・　）

4 都会の片隅に今も残る、昭和の雰位気を漂わせる商店街を散策する。（　・　）

9 次の――線の**カタカナ**を**漢字**に直せ。

/50 (2×25)

1 **ルイケイ**入場者数が百万人を超す。（　）

2 **ネンド**で動物の形を作った。（　）

3 悲願の全国**セイハ**を成し遂げる。（　）

4 住宅の**キソ**工事が始まった。（　）

5 記録達成の**シュンカン**に立ち会う。（　）

6 **チョウボウ**のきく高台に上った。（　）

7 懐かしい**カヨウ**曲を聴いた。（　）

8 イベントの準備が**カンリョウ**した。（　）

9 豪雨により**コウズイ**が発生する。（　）

10 雪の**ケッショウ**を観察した。（　）

11 村は**カソ**化が進んでいる。（　）

12 詳しい説明は**カツアイ**する。（　）

5 自国の外交官を追放された対抗措置として領事館の閉査を通告した。（　・　）

8

次の——線のカタカナを漢字一字と送りがな（ひらがな）に直せ。

/10 (2×5)

〈例〉問題にコタエル。　答える

1 メズラシク寝坊してしまった。（　）

2 交通費は参加費にフクマれている。（　）

3 シブイ色の着物を着こなす。（　）

4 久しぶりの雨で大地がウルオウ。（　）

5 カガヤカシイ成績をあげた。（　）

13 何事にもジュウナンに対応する。（　）

14 ショウゾウ画が飾られている。（　）

15 一般ビョウトウに入院する。（　）

16 気が抜けて思わずトイキが漏れる。（　）

17 ゆで卵のカラをむいて食べた。（　）

18 酒にヨって口数が多くなる。（　）

19 指がシモヤけで赤くなっている。（　）

20 航海の無事をイノった。（　）

21 本当かどうかハナハだ疑わしい。（　）

22 家臣が主君に忠誠をチカった。（　）

23 静かに本のページをクる。（　）

24 名作映画に心をユさぶられる。（　）

25 ツツミの桜並木が満開だ。（　）

第2回 模擬試験問題

試験時間 **60分**

合格ライン **140点**

得点 /200 月 日

1 次の——線の**漢字の読み**を**ひらがな**で記せ。

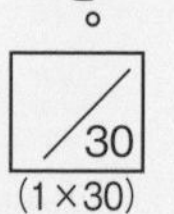
/30 (1×30)

1 異郷の地で旅愁にふける。（　）
2 組織ぐるみの不正が露顕した。（　）
3 墨汁を筆に含ませて字を書く。（　）
4 惰弱に流れる心を奮い立たせる。（　）
5 税務署から督促状が届いた。（　）
6 かつては犬猿の仲だった。（　）
7 囲炉裏の上に鉄瓶をつるす。（　）
8 いにしえの優れた叙景歌をよむ。（　）
9 新聞に川柳を投稿する。（　）
10 締め切りまで一刻の猶予もない。（　）
11 国家の興廃に関わる事態だ。（　）

27 窯で焼いたピザをふるまった。（　）
28 坪庭のある平屋の家に住む。（　）
29 くりの渋皮をむくのに苦労した。（　）
30 チームは最悪の状態に陥った。（　）

2 次の漢字の**部首**を記せ。

〈例〉 菜 〔艹〕 間 〔門〕

/10 (1×10)

1 煩（　）
2 亭（　）
3 升（　）
4 羅（　）

6 韻（　）
7 恭（　）
8 嗣（　）
9 彰（　）

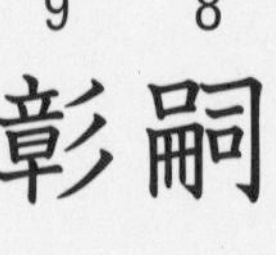

12 反則行為を教唆した疑いがある。（　　　）（　　　）
13 竜神を祭るほこらがある。（　　　）（　　　）
14 海底の地殻変動を観測する。（　　　）（　　　）
15 常識に縛られず奔放に生きる。（　　　）（　　　）
16 蚊はさまざまな病気を媒介する。（　　　）（　　　）
17 負傷者を献身的に看護した。（　　　）（　　　）
18 いただきものの吟醸酒を飲む。（　　　）（　　　）
19 友の温かい言葉に感泣した。（　　　）（　　　）
20 広漠とした草原を馬が駆けていく。（　　　）（　　　）
21 腰を据えて今後について話し合う。（　　　）（　　　）
22 子供のよいところを褒めて伸ばす。（　　　）（　　　）
23 赤い鼻緒の草履をあつらえた。（　　　）（　　　）
24 すばやく且つ正確に書き写す。（　　　）（　　　）
25 足音を忍ばせて獲物に近づく。（　　　）（　　　）
26 生活態度を改善するように諭す。（　　　）（　　　）

5 劾（　　　）（　　　）
10 磨（　　　）（　　　）

3 **熟語の構成**のしかたには次のようなものがある。　／20（2×10）

ア 同じような意味の漢字を重ねたもの……………（**岩石**）
イ 反対または対応の意味を表す字を重ねたもの…………（**高低**）
ウ 上の字が下の字を修飾しているもの……………（**洋画**）
エ 下の字が上の字の目的語・補語になっているもの……（**着席**）
オ 上の字が下の字の意味を打ち消しているもの………（**非常**）

次の熟語は右の**ア〜オ**のどれにあたるか、**一つ**選び、**記号**で記せ。

1 慶弔（　　　）
2 酪農（　　　）
3 雅俗（　　　）
4 腐臭（　　　）
5 謹慎（　　　）
6 不肖（　　　）
7 罷業（　　　）
8 弊風（　　　）
9 遮光（　　　）
10 珠玉（　　　）

4 次の**四字熟語**について、問1と問2に答えよ。

問1 後の［ ］内のひらがなを**漢字**にして□の中に入れ、**四字熟語**を完成せよ。［ ］内のひらがなは一度だけ使い、**漢字一字**で記せ。

／20 (2×10)

ア 酔生 1 死
イ 面目躍 2
ウ 悠悠自 3
エ 主 4 転倒
オ 当意 5 妙

カ 普 6 妥当
キ 一罰百 7
ク 外 8 内剛
ケ 物情 9 然
コ 率先垂 10

5 次の1〜5の**対義語**、6〜10の**類義語**を後の［ ］の中から選び、**漢字**で記せ。［ ］の中の語は一度だけ使うこと。

／20 (2×10)

対義語

1 傑物（　　）
2 純白（　　）
3 召還（　　）
4 中枢（　　）
5 蓄積（　　）

類義語

6 降格（　　）
7 回顧（　　）
8 動転（　　）
9 安眠（　　）
10 紛糾（　　）

ぎょうてん・こんらん・させん・しっこく
じゅくすい・しょうもう・ついおく
はけん・ぼんじん・まったん

かい・かく・じゅう・じょ
そう・そく・てき・はん
へん・む

問2 次の11～15の**意味**にあてはまるものを問1の**ア～コの四字熟語**から**一つ**選び、**記号**で記せ。

/10 (2×5)

11 すぐその場にかなった対応をすること。（　）

12 自分から進んで手本を示すこと。（　）

13 ぼんやりと一生を終えること。（　）

14 見た目は穏やかそうだが、意志が強くしっかりしていること。（　）

15 軽重や順序、立場が逆になること。（　）

6 次の――線の**カタカナ**を**漢字**に直せ。

/20 (2×10)

1 市役所に**コン**姻届を提出した。（　）

2 保護者の**コン**談会が開かれた。（　）

3 アート界に**セン**風を巻き起こす。（　）

4 **セン**水艇が海中を沈んでいく。（　）

5 **シン**士服売り場でスーツを買う。（　）

6 **シン**療所で治療を受けた。（　）

7 刑事事件の裁判を**ボウ**聴した。（　）

8 医学部で解**ボウ**実習をする。（　）

9 湖は透明で**ス**んでいた。（　）

10 宿題を早めに**ス**ませた。（　）

7

次の各文にまちがって使われている**同じ読みの漢字**が**一字**ある。**上に誤字**を、**下に正しい漢字**を記せ。

/10 (2×5)

1 けがで試合を欠場していた選手の復帰がチームによい影況を及ぼした。（　・　）

2 日本の製菓会社が、アジア諸国での頒売拡大を視野に入れて事業を展開する。（　・　）

3 横転したトラックに積載されていた土砂の撤拠のため、国道は通行止めになった。（　・　）

4 豪雨災害が賓発するなか、自宅付近の洪水ハザードマップを再度確認する。（　・　）

9

次の――線の**カタカナ**を**漢字**に直せ。

/50 (2×25)

1 仲間と**ユカイ**なひとときを過ごす。（　）

2 車の**オウライ**が激しい道を通る。（　）

3 苦手なスポーツに**チョウセン**する。（　）

4 浴槽の**セン**を抜いて排水する。（　）

5 ビタミンを**セッシュ**する。（　）

6 映像は**トウトツ**に途切れた。（　）

7 **コンブ**のつくだ煮を作った。（　）

8 図書館に本を**ヘンキャク**する。（　）

9 成績優秀で学費を**メンジョ**される。（　）

10 現在の情勢を**ハアク**する。（　）

11 自動**セイギョ**装置が作動した。（　）

12 **アネッタイ**性の植物が茂る。（　）

5 区の子育て支演の一環として、乳幼児の一時保育を実施している。

8 次の——線の**カタカナ**を**漢字一字**と**送りがな（ひらがな）**に直せ。

/10（2×5）

〈例〉問題に**コタエル**。　答える

1 家計のやり繰りに頭を**ナヤマス**。

2 展望台から山々を**ナガメル**。

3 新たな目標を**カカゲル**。

4 自分の軽率な言動を**ハジル**。

5 深刻なダメージを**コウムル**。

13 友達と**キッサ**店で待ち合わせた。

14 トイレに**ホウコウ**剤を置く。

15 野菜の価格が**キュウトウ**する。

16 出産を控えた**ニンプ**が通院する。

17 **アミダナ**の上にかばんを置いた。

18 よく**ツ**かったなすが食べごろだ。

19 華やかな雰囲気に心が**ハズ**む。

20 卑劣な**オド**しには屈しない。

21 床にカーペットを**シ**く。

22 **エリ**を正して師匠の話を聞く。

23 **スズ**しい風が吹き抜けた。

24 衣類を**タタ**んでたんすにしまう。

25 **スデ**に電車は出た後だった。

第3回 模擬試験問題

試験時間
60分
合格ライン
140点
得点
/200
月 日

1 次の――線の**漢字の読み**を**ひらがな**で記せ。

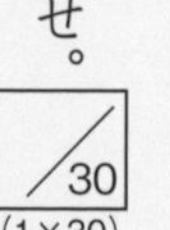

1 都市と都市をつなぐ要衝である。（　）
2 自分という存在について思索する。（　）
3 いくつかの文献を併読する。（　）
4 詐欺の手口が酷似している。（　）
5 選手宣誓の声が響き渡る。（　）
6 適宜、例を挙げながら説明する。（　）
7 あちこちに駄文を書き散らす。（　）
8 祖父は寡黙な職人だった。（　）
9 艦艇が太平洋を航行している。（　）
10 相克する二つの感情に襲われる。（　）
11 法律で定められた基準を遵守する。（　）

27 準備に十分な時間を費やした。（　）
28 近所の人とあいさつを交わす。（　）
29 宵っ張りなので起きるのは遅い。（　）
30 川の中州にススキが茂っている。（　）

2 次の漢字の**部首**を記せ。

〈例〉菜 〔艹〕 間 〔門〕

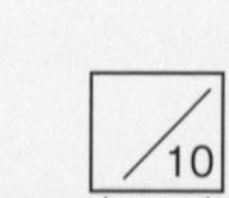

1 庸（　）
2 缶（　）
3 丙（　）
4 戻（　）

6 款（　）
7 賓（　）
8 瓶（　）
9 奔（　）

12 囲碁の対局を観戦する。（　）
13 偉大なる師として崇敬される。（　）
14 病状は漸次快方に向かっている。（　）
15 学界の泰斗として知られている。（　）
16 旅の土産にその土地の銘菓を選ぶ。（　）
17 剛直にして情け深い人柄である。（　）
18 利益剰余金が徐々に増えている。（　）
19 脳神経外科の医師として働く。（　）
20 詩歌の同人誌を主宰している。（　）
21 地域の氏神様の祭りがある。（　）
22 辛うじて涙をこらえた。（　）
23 靴擦れが痛くてもう歩けない。（　）
24 議論の末に大枠で合意した。（　）
25 家の周りに垣根を巡らす。（　）
26 古臭い価値観を毛嫌いする。（　）

5 摩（　）
10 軟（　）

3 熟語の構成のしかたには次のようなものがある。

／20 (2×10)

ア 同じような意味の漢字を重ねたもの……（岩石）
イ 反対または対応の意味を表す字を重ねたもの……（高低）
ウ 上の字が下の字を修飾しているもの……（洋画）
エ 下の字が上の字の目的語・補語になっているもの……（着席）
オ 上の字が下の字の意味を打ち消しているもの……（非常）

次の熟語は右の**ア～オ**のどれにあたるか、**一つ**選び、**記号**で記せ。

1 扶助（　）
2 緒論（　）
3 経緯（　）
4 災禍（　）
5 隠顕（　）
6 抗菌（　）
7 無粋（　）
8 贈賄（　）
9 偏在（　）
10 寛厳（　）

4 次の**四字熟語**について、問1と問2に答えよ。

問1 後の□内のひらがなを**漢字**にして□の中に入れ、**四字熟語**を完成せよ。□内のひらがなは一度だけ使い、**漢字一字**で記せ。

/20 (2×10)

ア 1□志弱行

イ 愛別2□苦

ウ 少壮気3□

エ 4□越同舟

オ 和洋5□衷

カ 夏炉冬6□

キ 旧態7□然

ク 千8□万紅

ケ 9□遅拙速

コ 朝令10□改

5 次の1～5の**対義語**、6～10の**類義語**を後の□の中から選び、**漢字**で記せ。□の中の語は一度だけ使うこと。

/20 (2×10)

対義語

1 高尚（　　）

2 個別（　　）

3 哀悼（　　）

4 受諾（　　）

5 懐柔（　　）

類義語

6 伯仲（　　）

7 対価（　　）

8 秀逸（　　）

9 屋敷（　　）

10 醜聞（　　）

いあつ・いっせい・おめい・きょひ
ごかく・しゅくが・ていぞく
ていたく・ばつぐん・ほうしゅう

い・えい・ごう・こう
し・せっ・せん・はく
ぼ・り

問2 次の11〜15の**意味**にあてはまるものを**問1**の**ア〜コの四字熟語**から**一つ**選び、**記号**で記せ。 /10 (2×5)

11 時季外れで役に立たないもののたとえ。（　）

12 若くて勢いが盛んなこと。（　）

13 方針などが頻繁に変わること。（　）

14 親しい人と会えなくなるつらさや悲しみ。（　）

15 昔のままで進歩や変化がないこと。（　）

6 次の――線の**カタカナ**を**漢字**に直せ。 /20 (2×10)

1 不祥事により大臣が**コウ**迭された。（　）

2 エビやカニは**コウ**殻類に属する。（　）

3 愚**チ**をこぼさず黙々と働く。（　）

4 グループ全員の意見が一**チ**する。（　）

5 **キュウ**迫した経済状態となる。（　）

6 画期的な製品が普**キュウ**する。（　）

7 **テイ**寧な言葉遣いを心掛ける。（　）

8 探**テイ**が事件を推理する。（　）

9 空き地の雑草を**カ**った。（　）

10 自責の念に**カ**られる。（　）

7 次の各文にまちがって使われている**同じ読みの漢字**が**一字**ある。**上に誤字を**、**下に正しい漢字**を記せ。

/10 (2×5)

1 循環型の社会を実現するために廃規物の再資源化に力を入れている。（　・　）

2 結婚披朗宴の終盤となり、両家を代表して新郎が招待客に対して謝辞を述べた。（　・　）

3 過疎と高齢化が進み、農地の荒廃が目立つ村の農業振効策を協議する。（　・　）

4 舞台上では色鮮やかな衣装に身を包んだダンサーたちが華礼な踊りを見せた。（　・　）

9 次の――線の**カタカナ**を**漢字**に直せ。

/50 (2×25)

1 朝の**セイリョウ**な空気が心地よい。（　）

2 **ソボク**な疑問を投げかけた。（　）

3 **シャセン**を引いて記載を取り消す。（　）

4 **ゲンソウ**的な風景が広がっている。（　）

5 何かが燃えた**ケイセキ**がある。（　）

6 乾いた**センタク**物を取り込んだ。（　）

7 新作映画の**サツエイ**が始まった。（　）

8 兵士が戦地から**キカン**した。（　）

9 母校から逸材が**ハイシュツ**する。（　）

10 **ショウガイ**にわたり挑戦を続けた。（　）

11 野球の**シンパン**を務める。（　）

12 意見の対立が事の**ホッタン**だった。（　）

5 県警は酒気帯び運転の容疑で現行犯待捕された巡査部長を懲戒処分にした。（　・　）

8 次の——線の**カタカナ**を**漢字一字と送りがな（ひらがな）**に直せ。

10 (2×5)

〈例〉問題に**コタエル**。［答える］

1 他の機種より性能が**オトッ**ている。（　）

2 新事業の立ち上げに**タズサワル**。（　）

3 子供を**アマヤカス**ことなく育てた。（　）

4 食べ物がなくて人々が**ウエル**。（　）

5 手足の感覚が**ニブク**なった。（　）

13 **キョウセイ**歯科で診察を受けた。（　）

14 町を結ぶトンネルが**カンツウ**した。（　）

15 野球観戦が**ユイイツ**の楽しみだ。（　）

16 アレルギー性の**シッカン**に悩む。（　）

17 **アワ**てて家を飛びだした。（　）

18 湯を**ワ**かしてコーヒーを飲む。（　）

19 過ちを認めて罪を**ツグナ**った。（　）

20 寝坊したせいで予定が**クル**う。（　）

21 湯船につかって疲れた体を**イ**やす。（　）

22 火にかけたなべが**ニツ**まる。（　）

23 友人の応援に**ハゲ**まされた。（　）

24 逃げた犯人を**チマナコ**で捜した。（　）

25 **ワズラ**わしい手続きが済んだ。（　）

第4回 模擬試験問題

試験時間 60分

合格ライン 140点

得点 /200

月　日

1

次の――線の**漢字の読み**を**ひらがな**で記せ。

/30 (1×30)

1 何事も中庸が肝心である。（　　）

2 内に秘めた苦衷がにじみでている。（　　）

3 違法行為の嫌疑がかけられる。（　　）

4 所得税の還付申告をする。（　　）

5 真偽不明の情報に惑わされる。（　　）

6 成績不振のために減俸となった。（　　）

7 現実から目をそらし享楽にふける。（　　）

8 容易には首肯できない意見だ。（　　）

9 休日はひたすら安逸をむさぼった。（　　）

10 近くに自衛隊の駐屯地がある。（　　）

11 会社の上司の媒酌で結婚する。（　　）

27 熟れたトマトでソースを作る。（　　）

28 後ろから襟首をつかまれた。（　　）

29 食べ物の好みが偏っている。（　　）

30 子供が生まれて家が手狭になる。（　　）

2

次の漢字の**部首**を記せ。

〈例〉菜〔艹〕　間〔門〕

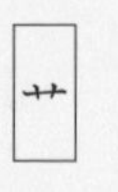

1 尉（　　）

2 窯（　　）

3 喪（　　）

4 栽（　　）

6 昆（　　）

7 亜（　　）

8 薫（　　）

9 褒（　　）

/10 (1×10)

12 長年患っていた病気が快癒した。（　）

13 昔の宮廷を博物館として使う。（　）

14 奨学金の貸与を受ける。（　）

15 韻律の整った美しい詩を書く。（　）

16 君主より爵位が授けられる。（　）

17 海外の長編小説の抄訳を読んだ。（　）

18 派閥を超えて協力し合った。（　）

19 乾燥したトウモロコシを粉砕する。（　）

20 豊富な経験を買われて厚遇された。（　）

21 夜半から風雨が強まる虞がある。（　）

22 夕映えの山々が眼前にそびえる。（　）

23 生活費を賄うために支出を見直す。（　）

24 役者を集めて劇団を旗揚げした。（　）

25 漆塗りの器に料理を盛る。（　）

26 月の最終日に棚卸しをする。（　）

---

5 充（　）

10 斉（　）

3 **熟語の構成**のしかたには次のようなものがある。

/20 (2×10)

ア 同じような意味の漢字を重ねたもの……………（**岩石**）
イ 反対または対応の意味を表す字を重ねたもの……（**高低**）
ウ 上の字が下の字を修飾しているもの……………（**洋画**）
エ 下の字が上の字の目的語・補語になっているもの……（**着席**）
オ 上の字が下の字の意味を打ち消しているもの……（**非常**）

次の熟語は右の**ア〜オ**のどれにあたるか、**一つ**選び、**記号**で記せ。

1 未踏（　）

2 親疎（　）

3 暗礁（　）

4 塑像（　）

5 遷都（　）

6 旋回（　）

7 存廃（　）

8 賠償（　）

9 懇請（　）

10 上棟（　）

4 次の**四字熟語**について、問1と問2に答えよ。

問1 後の[ ]内のひらがなを**漢字**にして□の中に入れ、**四字熟語**を完成せよ。[ ]内のひらがなは一度だけ使い、**漢字一字**で記せ。

/20 (2×10)

ア 南□北馬 1

イ 故事来□ 2

ウ 尋常一□ 3

エ 勧善□悪 4

オ 徹頭徹□ 5

カ 天下泰□ 6

キ 比□連理 7

ク □凶禍福 8

ケ 群雄割□ 9

コ 質実剛□ 10

5 次の1〜5の**対義語**、6〜10の**類義語**を後の[ ]の中から選び、**漢字**で記せ。[ ]の中の語は一度だけ使うこと。

/20 (2×10)

対義語

1 擁護（　　）

2 希釈（　　）

3 緩慢（　　）

4 煩雑（　　）

5 不足（　　）

類義語

6 抹消（　　）

7 猶予（　　）

8 残念（　　）

9 辛抱（　　）

10 干渉（　　）

いかん・えんき・かいにゅう・かじょう
かんりゃく・さくじょ・しんがい
じんそく・にんたい・のうしゅく

きっ・きょ・けん・せん
ちょう・び・へい・よう
よく・れき

問2 次の11~15の**意味**にあてはまるものを問1の**ア~コの四字熟語**から**一つ**選び、**記号**で記せ。 10 (2×5)

11 あちこち旅をすること。（　　）

12 最初から最後まで。（　　）

13 男女の情愛がきわめて深いこと。（　　）

14 ごくふつうで他とは変わるところがないさま。（　　）

15 世の中が穏やかに治まっていること。（　　）

---

6 次の――線の**カタカナ**を**漢字**に直せ。 20 (2×10)

1 敬**ショウ**をつけて名前を呼んだ。（　　）

2 不正行為が腐敗の温**ショウ**となる。（　　）

3 問題の**カク**心を鋭くつく。（　　）

4 犬が歯をむき出して威**カク**する。（　　）

5 工事の**ソウ**音に悩まされる。（　　）

6 **ソウ**絶な戦いを繰り広げた。（　　）

7 完成した**チョウ**刻が展示される。（　　）

8 会員から会費を**チョウ**収する。（　　）

9 かばんに荷物を**ツ**め込んだ。（　　）

10 千円札で払って**ツ**り銭をもらった。（　　）

7 次の各文にまちがって使われている**同じ読みの漢字**が**一字**ある。**上に誤字**を、**下に正しい漢字**を記せ。 /10 (2×5)

1 環境への負荷を欲制しながら経済成長を持続させる取り組みを模索する。 （ ・ ）

2 古代の文献に記録されていた建築物が発見され、多くの出土品が発屈された。 （ ・ ）

3 梅雨明け直後の連日の猛暑により熱中症で救急販送される人が増加した。 （ ・ ）

4 古くから織依産業が盛んな地域で、織物や縫製の技術が受け継がれてきた。 （ ・ ）

9 次の――線の**カタカナ**を**漢字**に直せ。 /50 (2×25)

1 **シンミョウ**な面持ちで座っている。 （ ）

2 北海道で**ラクノウ**家となる。 （ ）

3 **ゴウカ**な顔触れがそろった。 （ ）

4 友の忠告を肝に**メイ**じた。 （ ）

5 恩人と再会して**カンルイ**にむせぶ。 （ ）

6 料理に使う魚を**ギンミ**する。 （ ）

7 困難にも**カカン**に立ち向かう。 （ ）

8 人間の心理について**ドウサツ**する。 （ ）

9 **ダイタン**な発想が商機を生んだ。 （ ）

10 銀行が追加の**ユウシ**に応じる。 （ ）

11 **ロコツ**に迷惑そうな顔をされた。 （ ）

12 **ケイコウ**灯が点滅している。 （ ）

5 急逝した故人をしのぶ追等の会が開かれ、人々は安らかな旅立ちを祈った。（　・　）

8 次の――線の**カタカナ**を**漢字一字と送りがな（ひらがな）**に直せ。 /10 (2×5)

〈例〉問題に**コタエル**。 答える

1 母校の活躍を**ホコラシク**思う。（　）
2 業績が悪化して会社が**カタムク**。（　）
3 塩辛いスープを水で**ウスメル**。（　）
4 **オシイ**ところで負けてしまった。（　）
5 **ミニクイ**言い争いが続いた。（　）

13 古びた温泉旅館に**シュクハク**する。（　）
14 管理職への**ショウシン**が決まった。（　）
15 組織内の**チツジョ**を守る。（　）
16 **ケイコク**には橋が架かっていた。（　）
17 旅費を**カセ**ぐために土日も働く。（　）
18 **コヨミ**の上では秋だがまだ暑い。（　）
19 凍結した坂道で**スベ**って転んだ。（　）
20 親類を**タヨ**って上京した。（　）
21 ドアに指を**ハサ**んでしまった。（　）
22 積年の**ニク**しみが消え去った。（　）
23 久しぶりに会って話が**ツ**きない。（　）
24 日常の生活に**モド**った。（　）
25 水を飲んでのどの**カワ**きをいやす。（　）

第5回 模擬試験問題

1 次の――線の**漢字の読み**を**ひらがな**で記せ。 /30 (1×30)

1 けんかの仲裁役を買って出る。（　　）
2 のどかで安閑とした暮らしを営む。（　　）
3 漢詩の吟詠を披露する。（　　）
4 怒りが沸々とわいてきた。（　　）
5 手元の資料に満遍なく目を通す。（　　）
6 会社設立に際し定款を作成した。（　　）
7 漆器に繊細な模様が施されている。（　　）
8 私淑する作家の言葉を引用する。（　　）
9 感動的なエピソードを挿入する。（　　）
10 輝かしい勲功を立てる。（　　）
11 短歌の雑誌を購読している。（　　）

27 貴重なご意見をありがたく承る。（　　）
28 原稿用紙の升目を埋める。（　　）
29 文書の終わりに但し書きをつける。（　　）
30 池の水が藻で緑色になった。（　　）

2 次の漢字の**部首**を記せ。 /10 (1×10)

〈例〉菜［艹］　間［門］

1 弔（　　）
2 甚（　　）
3 且（　　）
4 衡（　　）

6 叙（　　）
7 臭（　　）
8 殻（　　）
9 再（　　）

12 卒業式で校歌を斉唱する。（　　）

13 時代とともに街は変遷してきた。（　　）

14 完膚なきまでにたたきのめす。（　　）

15 戸籍謄本を取り寄せる。（　　）

16 海外の要人を国賓として招いた。（　　）

17 短絡的な解決は禍根を残す。（　　）

18 負けが続いて首位から陥落した。（　　）

19 ワクチンの接種を勧奨する。（　　）

20 レギュラーの座を奪還する。（　　）

21 資料を調えて会議に臨む。（　　）

22 古い蔵を改装して飲食店を開く。（　　）

23 産地を偽って販売する。（　　）

24 人間は善悪の両面を併せ持つ。（　　）

25 防災体制について専門家に諮る。（　　）

26 墓前で先祖の霊を弔った。（　　）

---

5 耗（　　）

10 寧（　　）

3

/20 (2×10)

熟語の構成のしかたには次のようなものがある。

ア 同じような意味の漢字を重ねたもの……………（**岩石**）
イ 反対または対応の意味を表す字を重ねたもの……（**高低**）
ウ 上の字が下の字を修飾しているもの……………（**洋画**）
エ 下の字が上の字の目的語・補語になっているもの……（**着席**）
オ 上の字が下の字の意味を打ち消しているもの………（**非常**）

次の熟語は右の**ア〜オ**のどれにあたるか、**一つ**選び、**記号**で記せ。

1 克己（　　）

2 抑揚（　　）

3 殉教（　　）

4 紡績（　　）

5 争覇（　　）

6 直轄（　　）

7 巧拙（　　）

8 虜囚（　　）

9 未遂（　　）

10 硝煙（　　）

4 次の**四字熟語**について、問1と問2に答えよ。

問1 後の□内のひらがなを**漢字**にして□の中に入れ、**四字熟語**を完成せよ。□内のひらがなは一度だけ使い、**漢字一字**で記せ。

/20 (2×10)

ア 雲散［1］消

イ 優勝［2］敗

ウ ［3］知徹底

エ 時節［4］来

オ 信賞必［5］

カ 粗［6］粗食

キ 神出鬼［7］

ク 美［8］麗句

ケ 隠［9］自重

コ 色即［10］空

---

5 次の1～5の**対義語**、6～10の**類義語**を後の□の中から選び、**漢字**で記せ。□の中の語は一度だけ使うこと。

/20 (2×10)

対義語

1 喪失（　）

2 軽侮（　）

3 分割（　）

4 凡庸（　）

5 清浄（　）

類義語

6 譲歩（　）

7 永遠（　）

8 泰然（　）

9 奔走（　）

10 酌量（　）

いだい・いっかつ・おだく・かくとく
こうりょ・じんりょく・すうはい
だきょう・ちんちゃく・ゆうきゅう

い・じ・しゅう・ぜ
とう・にん・ばつ・ぼつ
む・れっ

問2 次の11～15の**意味**にあてはまるものを問1の**ア～コの四字熟語**から**一つ**選び、**記号**で記せ。

/10 (2×5)

11 絶好の機会がやってくること。（　）

12 じっと我慢して耐え、言動を慎むこと。（　）

13 突然現れたり消えたりすること。（　）

14 情報が世間全体に行き渡るようにすること。（　）

15 跡形もなくなること。（　）

6 次の——線の**カタカナ**を**漢字**に直せ。

/20 (2×10)

1 雑誌に写真が掲**サイ**された。（　）

2 多額の負**サイ**を抱えて倒産した。（　）

3 提出期限までには余**ユウ**がある。（　）

4 英**ユウ**的行為が賞賛を浴びる。（　）

5 何が起きたのか**カイ**目わからない。（　）

6 厄**カイ**なもめごとに巻き込まれた。（　）

7 出塁した選手が**トウ**塁を決めた。（　）

8 お茶を入れた水**トウ**を持参する。（　）

9 親友の前で弱音を**ハ**いた。（　）

10 入り口でスリッパに**ハ**き替える。（　）

7 次の各文にまちがって使われている**同じ読みの漢字**が**一字**ある。**上に誤字**を、**下に正しい漢字**を記せ。

/10 (2×5)

1 軟骨は骨の摩擦を防いで衝激を吸収し、関節を滑らかに動かす役割をする。（　・　）

2 経営難により老窮化した設備の修繕が困難となっていたホテルが廃業した。（　・　）

3 伝統工芸の技法と熟練の技術を苦使して、現代的な商品の開発に挑戦する。（　・　）

4 絶滅の危機にある希少動物を保護し、煩殖させる試みに動物園が取り組む。（　・　）

9 次の――線の**カタカナ**を**漢字**に直せ。

/50 (2×25)

1 **カイチュウ**から財布を取り出した。（　）

2 市内を**ジュンカン**するバスに乗る。（　）

3 身近な問題に**ショウテン**を当てる。（　）

4 さまざまな**イツワ**が残っている。（　）

5 潜水艦が海面に**フジョウ**する。（　）

6 ペット**ドウハン**可のカフェに入る。（　）

7 **アンモク**のルールに従う。（　）

8 **リンリ**に反する行為を批判する。（　）

9 転倒して腰を**ダボク**した。（　）

10 会長への就任要請を**カイダク**する。（　）

11 **クッセツ**した青年時代を過ごした。（　）

12 **エンショウ**を鎮める薬を飲む。（　）

5 後継者不足で耕作放棄された土地を利用して、果樹の栽媒を始める。（　・　）

8

次の――線のカタカナを漢字一字と送りがな（ひらがな）に直せ。 /10 (2×5)

〈例〉問題にコタエル。 答える

1 背筋をノバス運動をする。（　）

2 感傷的な気分にヒタル。（　）

3 オソロシイほどの静けさだ。（　）

4 ガラスが粉々にクダケル。（　）

5 薬物の濫用は心身に害をオヨボス。（　）

13 オウベイの文化の影響を受ける。（　）

14 小説のシッピツに取り掛かる。（　）

15 思いついた言葉をラレツする。（　）

16 軒先にフウリンをつるす。（　）

17 両者のミゾは埋まらなかった。（　）

18 城の石垣やホリを見て回った。（　）

19 イヤな予感は見事に当たった。（　）

20 街の景観がソコなわれる。（　）

21 いたずらをした者をコらしめる。（　）

22 試験が終わって気がユルむ。（　）

23 月末に送別会をモヨオした。（　）

24 三月になって寒さがヤワらいだ。（　）

25 庭のシバフの手入れをする。（　）

※矢印の方向に引くと別冊が取り外せます。